T*A*C*K to the Rescue

SOLVE-IT-YOURSELF ADVENTURES

T*A*C*K to the Rescue

Created by MARVIN MILLER
Written by NANCY K. ROBINSON

illustrated by Alan Tiegreen

SCHOLASTIC BOOK SERVICES

To Wendy (Willy) and Rob (Roberts)—
a family is love *M.M.*

To my nieces, Julie and Wendy,
who always help *N.K.R.*

ISBN 0-590-32403-9

12 11 10 9 8 7 6 5 4 3 2 1 4 2 3 4 5 6 7/8
Printed in U.S.A. 21

CONTENTS

SANDY HARBOR, SATURDAY, APRIL 24—

This journal is about my friend Will and the kids in this town. It is about our secret organization called T*A*C*K.

T*A*C*K is a network of kids. We solve mysteries, everyday problems, and matters of life and death. I will explain what the letters stand for in a minute.

My name is Victoria Gardner. I am always called Toria. No one ever calls me Vicky — except by mistake. My little sister Holly makes a lot of mistakes. She is not a member of T*A*C*K.

The reason I am keeping this journal is for practice. My aim in life is to be a newspaper reporter. Someday, I will travel all over the world covering big news stories.

My only other aim in life is to own my own sailboat.

Now I will tell you what the letters T*A*C*K stand for: T for TORIA . . . A for ABBY . . . C for CHUCK . . . and K for WILL!

Will's name begins with a "W," of course. But when we tried T*A*C*W, no one liked the way it looked. We couldn't pronounce it either.

So we stole the "K" from telegraph language. In telegraph language "K" means "SWITCH." It means "SWITCH TO SEND," or "GO AHEAD — I'M LISTENING." "K" is a good code name for Will because of the way his mind can switch all over the place. Also because he is an expert at listening.

Will Roberts is the leader of

T*A*C*K. He works under the name of Willy Roberts at Sandy Harbor Elementary and in public life.

Will Roberts is also my best friend. In case you are wondering why I, a girl, picked Will, a boy, for my best friend, I will explain.

My real best friend, Abby, moved away last summer. She is still a member of T*A*C*K, but we call her our Agent-on-Remote, which means "at a distance."

Now, the only kid in this town who is as much fun as good old Abby Pinkwater is Will Roberts. That is not a fact; it is my personal opinion.

Will has a way of figuring things out when everyone else in this town has given up. Will says there is nothing special about his brain.

I think there is. Take what happened this morning . . .

The Case of the Invisible Skunk

Sandy Harbor, Saturday, April 24 —

I ate breakfast and went over to Will's house.

Will and his younger brother Cyrus were eating breakfast. They were alone.

"Hi, Toria," Cyrus said. He turned to Will. "Toria's here," he announced. Will nodded. He never talks when he is eating breakfast.

Will was eating the usual stuff: fresh fish (he catches it himself), blueberry muffins (he makes them from a mix), and grapefruit.

Cyrus had a bowl of cold cereal in front of him, but he wasn't eating. He was looking at me. "What's the matter, Toria?" he asked.

"Nothing much," I said. "Anyway, I don't want to talk about it."

"Toria's in a mood," Cyrus whispered to Will. Will was cutting his grapefruit into four sections. He always eats his grapefruit last.

I waited a few seconds. No one said anything.

"Now that you mention it, Cyrus," I said, "I am feeling a little disappointed. You see last night I lost a tooth . . ."

I opened my mouth and showed him the hole where my tooth had been. Cyrus leaned forward to look. "I put the tooth under my pillow, but when I felt under my pillow this morning, it was still there — the same old tooth!"

"You mean the tooth fairy never came?" Cyrus looked horrified.

"Nope," I said. "No shiny quarter. Nothing!"

"Did you hear that, Willy?" Cyrus asked.

Will nodded. Then he finished his grapefruit and began clearing the table. He put all the dishes in the sink. Then he turned to me.

"Toria," said Will. "When was the last time you got a quarter?"

"Months and months ago," I said. "There are all these rotten little teeth sitting in a box on my dresser. This is the fourth one! I told Mom, and she said, 'Aren't you getting a little old for that?' "

"She said *that*?" Cyrus stared at me.

"Yes, she did," I said. "But I'll bet my sister Holly loses teeth and gets quarters until she's 95 years old!"

Will was washing the dishes. He washes them very slowly. He says it helps him think.

Finally he dried his hands on a towel and said, "Toria, you know what you should do?"

"No. What?" I asked.

Will tore off a piece of paper from his mother's note pad. He wrote quickly. Then he handed the paper to me.

"Here," he said. "Sign here."

I read it:

BILL TO: The Tooth Fairy
For: 1 (one) fresh tooth @ 25¢
plus 3 (three) overdue teeth @ 25¢
Total $1.00
Please remit at your earliest convenience.

____

Victoria Gardner

"A bill to the tooth fairy?" I asked. I burst out laughing.

"What's so funny, Toria?" Will asked. But he looked pleased. He tossed the paper into the kitchen pail.

"Now that that problem is solved, how about coming with me to the store? Dad asked me to help out."

Will's father owns a hardware store. Saturday is a busy day.

"Sure." I was suddenly feeling very cheerful. "See you later, Cyrus."

On the way to the store, we passed Chuck's house. Chuck is Will's best friend and a trusted member of the T*A*C*K Team.

Chuck was shooting baskets in front of his garage. He waved to us. Will and I walked up the driveway to say hello.

When we came to the garage, we stopped and stared. Next to the garage—covering the whole backyard—was a huge blue-and-white-striped tent.

"Is there going to be a circus here?" I asked Chuck.

Chuck laughed. "No, it's for Kate's wedding."

Kate is Chuck's older sister. She is getting married next Sunday. All the grown-ups in this town are going to the wedding. None of the kids are invited.

"Chuck!" Chuck's mother was calling from a window. "Chuck, please come here. I need your help!"

"Gotta go," said Chuck. He sighed. "Mom is a nervous wreck over this wedding."

"What a waste," Will said as we walked back down the driveway. "That tent would have been great for a circus."

Roberts's Hardware Store was crowded. Will went to help his father behind the counter. I straightened up the shelves in the boating supplies section.

Late in the morning, Will and I took

a break. We were sitting in the window display eating jelly doughnuts, when the door to the hardware store flew open.

It was Chuck's mother. She was talking a mile a minute, but no one could understand a word she was saying.

"Slow down, Elisabeth," said Mr. Roberts. "Tell me what's wrong!"

"Oh, what am I going to do?" Chuck's mother wailed. "This is a disaster! Kate's wedding will be ruined!" She took a deep breath.

"Oh, Tom," she said. "I just can't get over it! The nerve of that skunk!"

"Skunk?" Mr. Roberts was shocked. "Why, Elisabeth, what a way to talk about Kate's fiancé. He seems like a nice young man. I'm sure they will work things out."

"What in the world are you talking about, Tom?" Chuck's mother stared up at him. "What does that have to do with the skunk in my garage?"

"Oh." Mr. Roberts was embarrassed. He cleared his throat. "Maybe you'd better just start at the beginning."

Chuck's mother took another deep breath. "Well," she said, "about half an hour ago I saw a skunk march right into my garage. It never came out again. Chuck's watching the garage now, but we don't know what to do. If we try to chase the skunk out, it will get scared. It will spray. The garage will stink. I will stink! The whole place will stink!" She burst out crying.

"Now, Elisabeth. . . ," Mr. Roberts said.

"My gorgeous b—b—blue-and-white-striped wedding tent will stink!" she sobbed.

Will and I looked at each other. It really was a serious situation!

Suddenly Chuck's mother stopped crying. She looked up at Will's father and said, "Tom, I want to buy some skunk remover immediately!"

Mr. Roberts spoke in a quiet voice. "Elisabeth," he said. "There is no such thing as skunk remover. All you can do is watch that garage and wait for the skunk to leave."

"Impossible," said Chuck's mother. "There is a party for Kate this afternoon out at the club. No one will be home." She gasped. "Oh, no! We will have to walk to the party. We can't even get into the garage to get the car!"

"That's true," said Mr. Roberts. "You'd better not go near that garage until you are sure that skunk has left."

"But how will we know? We can't watch that garage day and night for a whole week."

"I see what you mean." Mr. Roberts seemed puzzled.

"Hey, Will," I called. "Where are you going?" Will was on his way out the door.

"Home for lunch," Will said.

"Wait for me!"

We walked along the sidewalk.

"Just think of that one little skunk spoiling an entire wedding!" I said. "We ought to be able to think of a way to get rid of it."

"Chuck's mother doesn't need a way to get rid of a skunk," said Will. "She needs a way to know that the skunk has left the garage—"

"—without disturbing the skunk," I said. "Hey!" I stopped walking. "I've got an idea!"

Will stopped walking too. "Go ahead, Toria," he said.

"What about a string?" I asked. "A string across the entrance to the garage. A string attached to something . . . like a light bulb! That's it! A string attached to a light bulb. Now, when the skunk hits the string, the light bulb goes on. And we know he has left."

"Not bad, Toria," said Will. "But there's one thing wrong. The string might frighten the skunk and we would be left with—"

"—a smelly wedding," I finished.

When we got to Will's house, he made us each a bowl of alphabet soup. I finished first and went into the den to call my mother and tell her where I was.

When I got back to the kitchen, Will was gone. "Hey, Will!" I called.

Then I noticed something very unusual. Will always washes the dishes after he eats. My bowl was washed and lying in the dish drain, but his bowl was still on the table.

I looked in his bowl. There was a tiny drop of soup left.

"How strange," I told myself. "Will always washes his bowl!"

I looked more closely. There was one letter lying in the bottom of the bowl.

The letter was a "K"—Will's code name!

Will has a funny way of sending messages, but I knew at once that he had figured out The Case of the Invisible Skunk!

I ran as fast as I could to Chuck's house. Everyone was standing at the entrance to the driveway. I sniffed the air.

No disaster yet.

Will was talking to Chuck's mother.

"Toria!" Chuck was excited. "Will figured it out! He figured out a way to know when the skunk is out of the garage!"

"Without watching it all the time?" I asked.

Chuck nodded.

"And without bothering the skunk?" I asked.

"Yup," Chuck said.

"You see," Will said, "the best thing about this plan is that it is completely silent . . ."

If you, the reader, would like to try to figure out how Will solved this case, wait before you turn the page. . . .

The Case of the Invisible Skunk

Will's Solution:

Will told Chuck's mother to sprinkle some flour around the entrance to the garage.

"When the skunk decides to leave," said Will, "he will have to walk on the flour. He will leave footprints behind. Then you will know he has left—that it is safe to go into the garage."

Late that night Will's parents got a call. It was from Chuck's mother.

"We just got back from the party," she said. "It was simply lovely. And we found the cutest little skunk prints in the flour path in front of our garage. Our wedding is saved, thanks to Will!"

"Did she invite us to the wedding?" I asked Will.

"No," said Will.

"I have better things to do anyway," I said.

*T*A*C*K to the Rescue*

Sandy Harbor, Saturday, May 1—

It started out like any other Saturday. I helped Mom in the garden for a while. Then Popsy asked me to watch some of his latest magic tricks.

My father, better known as Popsy, is a famous magician. His real name is Ross Gardner, in case you have heard of him. But he only does magic for fun. He makes a living by inventing electrical gadgets.

"You sure fooled me, Popsy," I said again and again. "That was a good one, Popsy," I said. "Can I go now?"

Popsy got my little sister Holly to watch, and I went back to the garden.

Around three o'clock I heard the telephone ring. A minute later Holly called to me in her sweetest voice, "Oh, Vicky! Vicky!"

"The name is Toria," I called back.

"Vicky," Holly sang. "Your boyfriend is on the phone!"

I went inside and tried to take the phone from Holly, but she wouldn't let go. She was giggling. "Vicky has a boyfriend. Vicky has a boyfriend."

I knew it was time for my Perfect Manners Trick. It is the only thing that works on Holly.

"Thank you, Holly," I said, "for taking this call. I am most grateful for your kindness. You may leave now."

Holly stared at me for a second, handed me the phone, and left the room.

Will sounded out of breath. "Toria, I'm down at the ferry dock. Chuck's here too. You won't believe it, but the

Corkhill Light is out!"

I was stunned. The Corkhill Light is across the harbor. It stands on a rocky point on Corkhill Island. Every ten seconds it flashes to warn boats to stay away from the rocks.

"But that's so dangerous!" I said. "Boats will crash into those rocks!" I love boats. I hate to think of boats in trouble.

"There's another problem," said Will. "It seems there is no way to get out to fix that light. The ferry's broken. Albert is working on it, but he doesn't think it can be fixed today."

Albert runs the ferry to Corkhill Island. It only makes trips in July and August, when summer people come to visit.

"Can't he get another boat to take him out?" I asked.

"Nope," said Will. "Every single fishing boat is out. Won't be back until after dark."

"Stand by," I said. I went to the garden to ask my mother if I could go to the ferry dock.

"Of course," she said. "Just be home in time for dinner."

When I got down to the bay, I looked across the harbor. It was a foggy day and I could hardly see the Corkhill Light. It was eerie. Ever since I can remember, the Corkhill Light has been flashing day and night!

I went down to the ferry dock. Will and Chuck were standing with Mr. Morash who rents out the fishing boats. They were all watching Albert work on the ferry.

"Are you going to be able to fix it?" I asked Albert.

Albert looked up. His arms were all covered with grease. He smiled. He knows me because I am always there in the summer watching the sailboats.

"Hi, Toria," he said. "I'm working on it, but I'm afraid this engine needs a new part. Looks like we can't get a repairman out here 'til Monday."

Mr. Morash puffed on his pipe. “I knew that motor couldn't last the way it sounded yesterday,” he said.

“But how will you fix the light?” I asked Albert.

“I wish I knew.” Albert suddenly looked very tired.

"Looks bad," said Mr. Morash. "Looks real bad. Be dark in three hours. Then we'll be in trouble!"

Chuck suddenly called out, "Hey, Albert! What about that?" He was pointing to a small cove along the shore. Half hidden in the cove was a tiny rowboat. "Can't you use that?" Chuck asked.

Albert laughed. "That dinghy's too small, Chuck. It will only hold one of us."

"Why do you both have to go out there to fix the light?" Chuck asked.

"Young man," Albert said, "this job takes two men. That Corkhill Light tower is 25 feet tall. Now, I'm going to have to climb that tower and what if something goes wrong? What if I slip? Who's going to pick me up if I fall on my head?"

"Gotta be two of us out there," said Mr. Morash. "Not safe with one."

"Wait a minute, Albert," said Will. "Will that dinghy hold an adult and a child?"

"Wow!" Chuck shouted. "Good thinking, Willy. I get it. One of us rows Albert to the light, rows back, and picks up Mr. Morash, right?"

Will didn't say anything. We all looked at Albert.

"Won't work," he said. "That dinghy is only safe for one adult. Won't hold more than 175 pounds. We'd be at the bottom of the bay in no time."

"Too bad," said Chuck.

"I could have told you this was going to happen." Mr. Morash puffed on his pipe. "If you ask me, we're in a real mess."

Albert went back to work on the ferry's engine. "Not that it will do much good," he grumbled. Mr. Morash stood there watching him and shaking his head.

The three of us went and sat down on the grass next to the dock.

Will sat for a few minutes looking out at the Corkhill Light. He seemed to be daydreaming. Then he stretched out on the grass and said, "I give up."

Now, that might sound depressing, but often when Will says, "I give up," it is a hopeful sign. It doesn't mean he has stopped thinking about the problem. It just means that his mind is switching around, trying to find a new way to think.

"We'd better T*A*C*K," Will said.

Tack is also a word used by sailors. I taught Will that word. It means change course, change direction. When you see the sails swing over to the other side, you know the boat is on a new *tack*.

"But how?" I asked. "I don't see where we go from here."

"Well, then," said Will, "it's time for a Silly Session." He rolled over on his stomach.

"A Silly Session?" I asked.

"Now?" Chuck asked. "At a time like this?"

"Yup," said Will.

A Silly Session is really the same thing as a Brainstorming Session. We all sit around thinking up ideas. But the main thing is not to be afraid of being silly.

Chuck looked at me. "Ready to start, Toria?" he asked.

"Well, all right," I said. I looked at Will. Will was lying in the grass, poking at an anthill.

I looked across at the Corkhill Light. It was getting harder to see. I looked at the broken ferry, then at the small dinghy.

"What we need," I began, "is an enormously long rope."

"Right," said Chuck. "Tie it to the boat. Albert rows over. We pull the boat back—"

"There's not enough rope in this whole town," I said. "That takes care of that idea!"

We both looked at Will. Will was still studying that anthill. He seemed more interested in a bunch of ants than in the dangerous situation at Corkhill Light.

"On the other hand," Chuck went on, "a large slingshot would be quite helpful. We could shoot Mr. Morash over to

Corkhill Light. Then we could fire Albert through the air . . ."

"Air?" We both looked at each other.

"Flying!" I said.

"Hey, Albert!" Chuck called. "What about getting a helicopter to take you out there?"

"Already tried that!" Albert called. "Bad weather for flying. Too much fog."

Chuck and I didn't say anything for a while. Then Chuck sighed.

"If only that rowboat took two men," he said.

"Dead end," I said. "Back to where we started."

Suddenly Will jumped to his feet.

"I've got it!" he said.

"Ha!" I said. "Those ants helped, right? They gave you an idea, right?"

"No," Will said. "I just like to watch them run around."

We followed Will over to the ferry.

"Albert," Will said. "That dinghy will hold two kids, won't it?"

Albert stopped working and looked up.

"Of course it will," he said. "My grandchildren row it around whenever they come to visit. It's perfectly safe for two kids."

"Okay," Will said. "Then I think I've got it!"

"Hold on, sonny." Mr. Morash stopped puffing on his pipe. He stared at Will. "Two kids can't fix that light."

"I know," Will said. "But two kids can get you and Albert out to Corkhill Light and back again."

"I don't believe it," Mr. Morash said.

But Will was right. If you want to try to figure it out by yourself, do not turn the page yet. . . .

*T*A*C*K to the Rescue*

Will's Solution:

We did it in five steps . . .

1. Chuck and I got into the boat and rowed out to the light.
2. I rowed back. Chuck stayed out at the light.
3. Albert took the boat and rowed out to the light. He gave the boat to Chuck, who was waiting there.
4. Chuck rowed back and turned the boat over to Mr. Morash.
5. Mr. Morash rowed out to the light and joined Albert there.

Will lay in the grass watching the ants.

I got quite a thrill when I saw the Corkhill Light flashing again.

"Now, how do they get back?" I asked Will.

"Same five steps," he said. "Only backwards—5–4–3–2–1—and in the opposite direction."

It worked! All the boats got home safely that night—and there wasn't a word about it in the newspaper.

The Jungle Adventure Adventure

SANDY HARBOR, FRIDAY, MAY 14, 6 A.M. —

As you can see, I got up very early this morning. Today is our class trip. Everyone has been talking about it for weeks.

Our whole class is going to Jungle Adventure. In case you don't know, Jungle Adventure is a fun-filled amusement park where wild animals run free . . .

That's what the ad on TV says, anyway.

It took me a long time to get dressed. I always choose my outfits very carefully.

Today I decided to wear a shirt with a belt. It looks just like a safari jacket. I put on khaki pants and boots. All I had were my heavy winter boots. They felt a little warm, but they went very well with the outfit. Then I added a few finishing touches—canteen, field glasses, and so forth.

9 A.M.

My whole class was standing in front of the school waiting for the bus. Everyone was very excited.

Will was sitting on the school steps. He was wearing a green-and-blue-plaid shirt, as usual. Will has five shirts. They are all exactly the same plaid. He just happens to like that plaid.

"Hi, Toria," Will said. "What's that thing hanging from your belt?"

"Snakebite kit," I told him. A few kids turned around to look at me. "There's nothing in it," I whispered to Will. "Just a few Band-Aids."

Chuck came over to us. "I just can't

believe it!" he said. "I can't believe we are actually going to Jungle Adventure! Do you think the wild animals there really run free?"

"They'd better be running free," I said.

When our teacher, Miss Miller, arrived, everyone cheered. "This *is* exciting," Miss Miller said. "I'll bet I'm looking forward to this trip as much as anyone here."

The bus pulled up, and everyone shouted, "Hooray!"

The bus driver opened the doors. Everyone cheered the bus driver too.

He waved to us. "All aboard!" he called. "Next stop—Jungle Adventure!"

We climbed onto the bus.

Rachel asked me to sit next to her. I said okay, because I figured Will and Chuck would sit together.

Will and Chuck found a seat across the aisle from us. Then they each pulled out a notebook. Will began working on plans for model airplanes, and Chuck, as usual, was designing dogs. Chuck wants a dog very badly and spends a lot of time drawing pictures of Ideal Dogs. Then he thinks up names for them.

The bus driver turned on the motor, and in a few seconds we were off. Everyone cheered some more.

9:10 A.M.

We were only on the road a few minutes when Rachel turned to me and said, "Are we almost there?"

"Rachel," I said. "The trip takes three hours."

"Oh," said Rachel. "I was just wondering."

I leaned back in my seat. A few more minutes went by.

"Maybe we should sing," I said to Rachel. "You know—to pass the time."

I was sorry at once that I said that. Rachel started to sing, "Row, row, row your boat," in a very high voice. Right away, someone else began a different song. Soon everyone was singing something different, and they were all trying to outshout each other. I put my fingers in my ears.

9:30 A.M.

Believe it or not, as soon as I took my fingers out of my ears, Rachel said, "Do you think we are almost there?"

"Any minute now," I said, and I pretended to go to sleep.

10:30 A.M.

The bus just turned off the highway. Now we are on a very twisty road. The road goes along the edge of a cliff. Every time the bus swerves, a couple of kids shout, "Whee-e-e!"

I feel a little funny. . . .

Rachel turned to me just now and said, "Toria, how come your face is *green*?"

Then she said in a loud voice so the whole bus could hear, "I think Toria is going to get sick. I'm moving my seat." Rachel got up and went to the rear of the bus. She squeezed in between Sara and Jenny.

"Are you all right, Toria?" the teacher asked. "Do you want us to stop?"

"I'm just a little dizzy," I said. I really did want to stop and get some air, but I knew everyone would hate me for holding up the trip.

Will got out of his seat and came across the aisle. He opened the window next to me—just a little. "Stick your nose out," he said, "like a dog does. It really works."

Now I feel much better.

11:30 A.M.

I am sorry I wore these boots. My feet are burning up. The bus is hot and very noisy. I keep saying to myself, "Please bus, *please* hurry up and get there!"

11:45 A.M.

We just passed a sign. It said JUNGLE ADVENTURE—10 MILES! Everyone is shouting for joy. I am getting excited all over again.

We are back on a highway. There is a lot of traffic, but I know we are almost there.

11:50 A.M.

Two minutes ago, our bus entered a

tunnel. All at once we heard this horrible screeching. The bus was too high for the tunnel! We are stuck here.

The bus driver tried to move the bus forward and then backward. More horrible screeching. All the cars behind us are honking their horns. Everyone on the bus is moaning, "Oh, no-o-o . . ."

The bus driver turned off the motor and just sat there for a few seconds. "I knew I should have paid attention to that sign," he muttered. "We're at least an inch too high for this tunnel." Then he jumped down off the bus and walked up and down studying the situation . . .

12:00 P.M.

When the bus driver climbed back on the bus, he looked miserable. "Well, kids," he said. "I don't know what to tell you . . ."

Someone said in a low voice. "Boy, was that dumb. He should have known better."

I was sure the bus driver heard that remark. I felt very sorry for him. He looked so angry with himself.

"What a mess," he kept saying. "How will I ever explain this to the company?"

"Can't we get out and walk?" someone asked Miss Miller

"Of course not," she said. "It's much too far to walk."

I looked over at Will. To my surprise Will and Chuck were still drawing pictures.

"Come here, Toria," Will whispered.

I went over and looked at their pictures.

Will had drawn a picture of a bus stuck in a tunnel, but he was staring at

Chuck's picture.

Chuck had drawn a picture of a bus folded up like an accordion. Will pointed to it.

"Toria," he asked. "Does that picture give you any ideas?"

"Nope," I said. "What about you?"

"Well, it's funny," said Will. "It gives me an idea, but I'm not sure what that idea is."

"Oh," I said.

Just then the bus driver made an announcement. "I'm sorry to disappoint you kids, but I'm afraid I'm going to have to call for a tow truck to pry us loose. I'm afraid it will take hours."

I looked at Will. He had begun to draw a new picture.

"We're never going to get to Jungle Adventure," Rachel whined. "I wish I had never come in the first place."

"This is the worst class trip I ever went on," said Jerry.

I leaned over and whispered to Will. "How much time do you need?"

Will looked up and grinned. "Thirty or forty seconds should do it," he said.

"I'll see what I can do," I said.

"Go, Toria!" Chuck whispered.

I stood up. "Could everyone please stop being so . . . so . . . *critical*," I began. "It's so depressing. And it doesn't help anyone *think*!"

Everyone on the bus was staring at me. I looked over at Will. He was still busy. I had to stall for more time.

"Getting stuck in this tunnel could have happened to anyone," I said. "Anyone can make mistakes. Blaming the bus driver doesn't get us out of this tunnel. It doesn't get us to Jungle Adventure."

The bus driver smiled at me. "That's very nice of you to say, young lady, but I'm afraid I will have to call that tow truck. We're causing quite a traffic jam."

"Wait!" Will shouted. Then he turned to me. "Good work, Toria!" he said.

Will hurried up the aisle, waving his notebook. "We don't need a tow truck!" he told the bus driver. "We can roll right out of this tunnel."

The bus driver looked surprised. He looked at Will's picture. Then he laughed. "Well, how do you like that?" he said. "That's really brilliant!"

"Oh, no," said Will. "It's just common sense." Then Will's face turned bright red. "I mean . . ."

The bus driver turned to Miss Miller.

"Well," he said. "This young man has the most uncommon common sense I ever came across."

Will's idea did work. Do you want to try to guess it?

Will's Solution:

Jungle Adventure has the best rides in the whole world. Our class had the most wonderful time. It was really perfect. We all got these buttons with our pictures on them—in color! We had the most delicious food I ever ate—frankfurters a foot long, green-and-white-striped cotton candy, soft ice cream . . .

The wild animals were pretty interesting too, even though most of them were asleep.

Oh, I forgot to tell you how we got out of that tunnel.

The bus driver let a little air out of each tire to make the bus lower. We rolled out of the tunnel and stopped at a gas station. Then the man at the gas station filled up the tires again.

Simple!

The Disappearing Penny

SANDY HARBOR, FRIDAY, JUNE 25 —

School is out for the summer. But the kids in this town are very busy. There have been special events all this week to raise money for a new town library. The old library is in someone's house. It's a big house, but it won't hold any more books.

Last night my father put on a magic show in the school auditorium to help raise money. Will was his assistant.

It was very exciting. I sat next to Will's younger brother, Cyrus. We watched my father make all kinds of things disappear—a lady's scarf, a dollar bill, and a rabbit.

"Where did it go? Where did it go?" Cyrus kept asking.

"I'm sure that rabbit went someplace," I whispered to Cyrus. I didn't want him to get worried. "I'm sure it's all right."

"No, Toria," Cyrus whispered back. "It went no place. That's the trick," he explained.

I really like Cyrus.

Today we had a bake sale for the library. It was held in the town shopping center. My mother made brownies for it. Will and I were in charge of selling the brownies. The table was covered with all kinds of delicious homemade cakes and pies.

"Can I help?" Cyrus asked us.

"Can you make change?" I asked.

"Of course," Cyrus said. He came around behind the table.

"Step right up!" he called. "Get your delicious cake!"

Cyrus was such a good salesman, he was soon selling everything on the table—slices of cake, pieces of pie, muffins, and cookies.

"May I help you?" he asked everyone who stopped by to look.

I saw Mr. Woodrow coming over to the table. He is the Chairman of the Library Fund-Raising Committee.

"Cyrus," I whispered, "you have chocolate all over your mouth."

"Oh," Cyrus said. "How did that get there?" He wiped it off fast.

Mr. Woodrow reached across the table and patted Cyrus on the head. "Well, well, well," he said. "Aren't you a big boy. Helping us out, are you?"

"He's sold more cakes and cookies than any of us," I said, but Mr. Woodrow didn't hear me.

"Would you like a slice of cake?" Cyrus asked Mr. Woodrow. "This plain one is seven cents a slice if you would like a real bargain. The banana cake is 15 cents, and the gooey chocolate one over there is 30 cents."

"Well, young man, you talked me into it," said Mr. Woodrow. "I believe I will

have a piece of that banana cake." He reached into his pocket. "I can give you 20 cents. Do you have change?"

"Let's see," Cyrus said. "The cake costs 15 cents and he's giving me . . ." He began counting on his fingers. "15–16–17 . . ."

Mr. Woodrow's eyebrows went up. "Now, don't tell me a big boy like you is counting on his fingers. At your age you should be able to do it in your head."

"Oh I *can* do it in my head," Cyrus said. He closed his eyes and made funny little movements with his mouth. "Got it!" he said. "I owe you five cents."

"Good boy," said Mr. Woodrow. "You see you don't have to count on your fingers. Only babies do that."

More customers came. Cyrus wasn't counting on his fingers anymore, but I noticed that his mouth twitched a lot before he came up with the right change.

"Will." I poked Will. "How come

Cyrus is making those funny faces? Look at his mouth!"

"He's counting on his teeth with his tongue," said Will. "He always does that."

I giggled. "So he *is* doing it in his head," I said.

"Yup," said Will.

Three boys in baseball shirts came to look over the cakes and cookies.

"Whatever we get, we have to share," one of them said.

"Oh, you're allowed to share," said Cyrus. He turned to Will. "Right, Willy?"

Will nodded.

They finally decided on one of my mom's brownies. I cut it carefully into three pieces.

"That will be 30 cents," Cyrus said.

Each boy handed Cyrus a dime and they went off.

"I'm glad they had 30 cents," Cyrus sighed. "My mouth was getting tired."

"You charged 30 cents?" I asked. "But

those brownies are only 25 cents."

"Oops," said Cyrus. "I guess I got the price mixed up with the gooey cake."

"Here." I handed Cyrus five pennies. "See if you can find those boys. Say you overcharged them by mistake."

"Oh, sure," Cyrus said and he went off.

After a while I began to get worried. At least ten minutes had passed, and Cyrus wasn't back yet. "Maybe we should go look for him," I said to Will.

Just then I saw Cyrus. He was walking with his head down, kicking a pebble along the sidewalk.

"Did you find those boys?" I asked.

He looked up and nodded. He had a puzzled expression on his face.

"Well, I'm glad you're back," I said.

Cyrus just stood looking down at the sidewalk for a while. He didn't offer to help. He didn't say anything, but I could tell he was counting on his teeth.

"Are you okay?" I asked him.

"Um . . . I guess I don't feel like selling cake anymore," Cyrus said. He sounded tired.

"Well, you helped a lot," I said.

"Um . . . do you have a piece of paper," Cyrus asked, "and a pencil?"

"No, but I'll get them for you." I borrowed a piece of paper and a pencil from my mother, who was serving coffee at another table.

"Here you are, Cyrus." I handed him the paper and pencil.

Cyrus went and sat down on the curb. I went back to help Will sell brownies. Every once in a while, I looked over at Cyrus.

Cyrus wrote on the paper. Then he counted on his fingers. Then he wrote something else on the paper. Then he just sat there staring at the ground. His small shoulders were hunched over. He looked sad.

"Will," I said, "I'll be right back."

Cyrus looked away when I sat down

next to him.

"All right, Cyrus," I said. "What's the matter?"

"Everything," Cyrus mumbled.

"Maybe you'll feel better if you tell me," I said.

I glanced at the piece of paper lying next to him on the curb. There were numbers all over it.

$$\begin{array}{r} 9 \\ +9 \\ \hline 18 \end{array} \quad \begin{array}{r} 18 \\ +\ 9 \\ \hline 27 \end{array} \quad \begin{array}{r} 30 \\ -27 \\ \hline 3 \end{array} \quad \begin{array}{r} 27 \\ +\ 3 \\ \hline 30 \end{array} \quad \begin{array}{r} 27 \\ +\ 2 \\ \hline 29 \end{array}$$

These problems were repeated over and over.

"You add and subtract very well," I said, hoping to make Cyrus feel better.

He shrugged. I waited. Cyrus wouldn't even look at me.

"Oh, Cyrus," I said. "Please tell me what's wrong. Maybe I can help."

"You'll tell Will," said Cyrus. "I don't want Will to know."

Cyrus admires Will very much. He tries to be just like Will. He wants Will to be proud of him too.

"I'll try not to tell him," I said. But what if it were serious?

Cyrus looked at me. "Toria," he said. "Remember those five pennies you gave me to give back to the three boys?"

I nodded.

"Well, when I found those boys, I gave them each one penny. There were two left over, but I didn't know what to do because of there being three boys . . . so . . . so . . ."

"You kept them, right?" I asked.

Cyrus nodded.

"And now you feel bad because you weren't honest, right?" I said this as gently as I could.

"I guess I *should* feel bad because of that . . . " Cyrus said slowly. "But that's not what's so scary."

"Scary?" I stared at him. "What's scary, Cyrus?"

"Toria," Cyrus said in a low voice. "There's a penny missing. It just disappeared!"

"Huh?" I said.

"Look," Cyrus whispered in my ear. "Each boy gave me ten cents. I gave them each a penny back. That means they each paid nine cents, right?"

"Right," I said. My ear tickled from so much whispering.

Cyrus went on: "So they all paid 27 cents because 9+9+9 is 27, right? But I only kept two cents."

"So?" I couldn't figure out why Cyrus seemed so nervous.

"Well, the 27 cents they paid plus the two cents I kept is 29 cents. But Toria," Cyrus whispered. "They paid 30 cents! A penny is missing!"

"A penny couldn't be missing," I said. "Let me see. . . . " But when I thought about it, Cyrus was right. There *was* a penny missing.

"But that's crazy!" I said. "C'mon, Cyrus, let's go ask Will."

"No!" Cyrus looked as if he were about to cry.

We both sat there for a while.

Finally I said, "C'mon, Cyrus. A penny's missing, so I'll go borrow one from my mom. Then we can return that one and the two that you have . . . "

"I don't have two pennies," said Cyrus.

"You don't? What happened to them?" I asked.

"They turned into bubble gum," said Cyrus.

"Oh, no!" I said. "Now I see why you don't want to tell Will."

"The bubble gum's still in my pocket," said Cyrus. "I couldn't even chew it."

"Well, at least that's something," I said. "Okay, then I'll borrow all three pennies from my mom and we can find those boys and give them their three pennies . . . Wait a minute!" I stared at Cyrus. "You already gave them three pennies. That's six!"

Cyrus wasn't paying attention. He was muttering to himself, "That penny went no place. Just like your father's rabbit. No place!"

"Cyrus, listen to me," I said. "We don't need Will this time. I think I can explain what happened."

Stand by for Toria's solution! Unless you want to try to explain the disappearing penny by yourself. . . .

The Disappearing Penny

Toria's Solution:

"Now, Cyrus," I said. "We only have to find out what happened to five pennies."

"I only had five pennies to give back," he said.

"Right. Now, you gave three to the boys and you spent two."

"Three and two make five," Cyrus said happily. "So a penny isn't missing!"

"Right!" I said. "We got confused because we were *adding*. We should have been *subtracting*."

Cyrus still looked puzzled.

"You see, Cyrus," I said, "the boys ended up paying 27 cents for a brownie that only cost 25 cents. Subtract 25 from 27 and you get two. That's the two cents you spent!"

To my surprise, Cyrus found the boys

later and gave them the two pieces of bubble gum.

"What did you tell them?" I asked.

"It was all right," Cyrus said happily. "I just said, 'Boy, are we lucky. The penny wasn't missing after all—just a piece of bubble gum.'"

"Cyrus," I said. "Let's change the subject."

*T*A*C*K Tactics*

SANDY HARBOR, SATURDAY, JULY 31 —

The bake sale was very successful. So were all the other fund-raising events for the library.

The new library will open in two weeks. The building is almost finished. There are enormous windows all the way around it. It will be a nice place to sit and read.

Mr. Woodrow, the Chairman of the Library Fund-Raising Committee, had a big party on his lawn this afternoon. He wanted to thank all the people who helped raise money for the library. He served his specialty—homemade peach ice cream. I thought it was delicious, but the little kids said they like the kind that comes from a store better.

Chuck and Will were both there.

"Toria," Chuck said, "your hair is predicting rain."

I felt my hair. It was curling up. It always does that when it is about to rain.

"We'd better eat some more ice cream fast," said Will, looking up at the sky.

Just then Mr. Woodrow clapped his hands.

"May I have your attention, please," he said. "I want to thank each and every one of you for helping make this fund-raising a success. I especially want to thank those children who worked so hard. Do you know we raised $2,000?"

Everyone clapped.

"Now we can buy the furniture we need." Mr. Woodrow paused and looked around. He had a big smile on his face. "We've already ordered brand-new furniture for the children's room. The kids in this town really deserve it. Wait until they see those cute tables and chairs we ordered . . ."

"They'd better not have pictures of little ducks or friendly bears all over them," I whispered to Will.

"They don't," Will said. "I saw them in a catalogue. My father is the one who ordered them for the library. They're made out of light-colored wood. They look very comfortable."

"Hmm . . . sounds nice," I said.

Suddenly there was a crash of thunder. The sky was dark.

Mr. Woodrow shook his head. "This was bad planning. Quick!" he called. "Everyone inside!"

Everyone ran for the porch. Big raindrops were falling. I noticed that Will and Chuck made sure the peach ice cream got inside before it started to pour.

The grown-ups went into the living room. But we went into the kitchen. It just so happens that the ice cream went into the kitchen too.

"It's quieter in here," I said. "Grown-ups can be so noisy."

"Sounds like a barnyard," Chuck said.

We sat there quietly eating ice cream. The little kids didn't want any, so they went to play in the cellar.

"I don't think I can eat any more—after this," I said, helping myself to another bowl.

"I couldn't eat any more before the last bowl I had," Chuck said, and he scooped out some more peach ice cream.

"I'm probably going to be sick," said Will. "But I'd rather be sick from peach ice cream than from a virus or something like that. You see, this way, at least I planned it."

"Will—" I said.

"Planning is very important," said Will, and he helped himself to some more.

All of a sudden there were no sounds at all coming from the living room. It was absolutely quiet.

We stopped eating and looked at each other.

"What happened?" I asked.

"Maybe they all left," said Chuck.

"My parents usually remember to take me with them," I said.

"Maybe we should go and look," Will said.

But just then Will's father came into the kitchen.

"Why's everyone so quiet?" Will asked him.

"Bad news," his father said. "I'm going to have to cancel that furniture for the new library. It seems Mr. Woodrow made a little mistake. Bad planning."

"Huh?" Will said.

"Well," his father said, "he forgot all about the cost of moving the books from the old library to the new one."

"How much is that?" Chuck asked.

"Oh, about $2,000," he said. "Everyone's feeling pretty down about it. But we can't open a new library in two weeks without any books in it."

"But what about our furniture?" Chuck asked.

"I'm afraid it's one or the other," Mr. Roberts said. "And it has to be the books."

"Dad," said Will. "Could you use your pickup truck to move the books?"

"Will, there are thousands of books in that library. We need a professional mover to move that many books at once." Mr. Roberts went to the kitchen phone. "I'm going to cancel that furniture order before they close for the day."

"But what'll people sit on?" I asked him.

"We'll manage," said Mr. Roberts. "I

already spoke to Harrison Parks, owner of the *Sandy Harbor Herald.* He's in the other room. He's going to put an ad in his newspaper asking people to donate old furniture. That's what we'll have to use until our next fund-raising in the fall."

"Old battered-up furniture?" I asked.

"Furniture that no one wants?" Chuck said. "In our new library?"

Mr. Roberts was trying to look up the number of the warehouse in the telephone book.

"We'll get something decent enough," he said. "A few thousand people read the *Sandy Harbor Herald.*"

"That's it!" Will said.

Mr. Roberts turned around. "What's *it?*" he asked.

"We can get those books moved to the new library without spending any money at all," Will said.

Chuck caught on too. "That's right, Willy, and we'll be able to buy the new furniture."

"Oh, I get it," I said. "But we should place that ad as soon as we can."

"Right, Toria," Will said. "That will work out perfectly!"

T*A*C*K figured it out. Can you? Why don't you try. Then turn the page. . . .

*T*A*C*K Tactics*

Our Solution:

"Go ahead, Toria," said Will.

"You see, Mr. Roberts, we'll put an ad in the *Sandy Harbor Herald*, but instead of asking people to donate furniture, we'll ask them to take out books . . . maybe ten books each—"

"They'll keep the books for two weeks," Chuck went on, "and then they'll return them—"

"—to the new library!" said Will.

Mr. Roberts didn't say anything for a few seconds. Then he walked right out the kitchen door. We heard him tell the editor of the *Herald* our idea.

"Brilliant!" Mr. Parks shouted, and then he let out this loud laugh.

Soon all the grown-ups were making a racket again—talking and laughing and clinking glasses around.

Mr. Woodrow came into the kitchen to tell us how wonderful we were.

"Now help yourselves to some ice cream," he said. "Don't be shy, kiddies. You deserve it!"

Holly and Her Pet Pingo

SANDY HARBOR, SATURDAY, AUGUST 23 —

Guess who arrived this morning!

Abby!

I can't believe her parents let her come. She is staying for the whole weekend. My mother drove me to the train station to meet her.

Things did not start off too well.

Abby was the last one off the train.

"Toria!" She waved.

"Abby!" I ran to meet her. Then I stopped short. "You let your hair grow!"

"I know," Abby said. "Do you like it?"

"It looks different," I said.

I couldn't think of anything else to say. We got into the station wagon.

My mom started asking Abby all sorts of questions about her new town and her new school. Abby said everything was "simply fabulous." Now, kids in Sandy Harbor do not say things like "simply fabulous." I was really getting annoyed at Abby. I was afraid she had changed.

When we walked in my front door, my little sister Holly threw her arms around Abby. "You're here!" Holly shouted. Abby suddenly smiled at me. "I'm glad I'm here," she said shyly.

We went into the kitchen and helped Mom get ready for a picnic.

"In honor of Abby's visit!" Mom said. "We're going on a trip to Lakewood State Park. Will and his parents are coming too."

"Is Cyrus coming?" Holly asked.

"Of course," my mother said.

"I hate him," Holly said.

But, of course, the minute Cyrus arrived, Holly started chasing him all over the house.

Will came into the kitchen.

"Hi, Abby," Will said. "You look different."

"But I'm not," Abby said.

"She's *exactly* the same," I said quickly. (Abby really *was* looking more and more like herself.)

"My father said you can ride with us in the pickup truck," Will said to me and Abby.

"Me too," said Holly.

"Why don't you ride in the nice station wagon with Mom and Popsy?" I asked.

"No," said Holly. "Me and Cyrus are going in the pickup truck too."

We piled into the back of the truck. Mr. Roberts started the motor.

"Wait!" Holly shouted. "I forgot Pingo!"

We all waited while Holly ran back into the house. In a minute she was back.

"All set?" Mr. Roberts called.

We were off.

Cyrus was staring at something in Holly's hand.

"That's a Ping-Pong ball," he said.

"It's Pingo," said Holly. "Pingo is my *pet* Ping-Pong ball."

"Oh," said Cyrus. "Let me see."

Holly pulled her arm away. "No one is allowed to touch Pingo," she said.

Abby, Will, and I were stretched out on the floor of the pickup truck listening to this conversation.

"I never heard of a pet Ping-Pong ball," Cyrus said.

"Oh, yes," Holly said. "I used to have two pet Ping-Pong balls, but a big dog got the other one and crushed it up in his mouth."

Cyrus was quiet for a little while. Then he said, "I'll bet I know its name!"

"Huh?" Holly asked.

"I'll bet I know the name of that other Ping-Pong ball." Cyrus seemed quite pleased with himself.

"What?" Holly asked.

"Its name was Pongo, right?" Cyrus was proud.

Holly gave Cyrus a strange look. "No," she said. "His name was Sam."

"Oh." Cyrus sounded disappointed.

I looked at Will. Will had his face in his arms. His shoulders were shaking. I was sure he was laughing.

But Abby was laughing so hard she

couldn't catch her breath. And when Abby laughs like that, I start laughing.

"What are you laughing about?" Holly cuddled the Ping-Pong ball. "You'd better not be laughing at Pingo," she said.

Lakewood State Park has a beautiful picnic site. It is right next to a lake surrounded by mountains. We swam for a while, then Popsy made a fire, and we roasted frankfurters.

After lunch all of us went up to Lakewood Lodge. The grown-ups sat at tables on a stone terrace overlooking the lake and drank iced tea.

We went into the game room.

"Ping-Pong!" Will grabbed a racket. Abby and I each took one, and I handed a racket to Cyrus.

"We can play doubles," I said.

"But I don't see a Ping-Pong ball," Abby said. We looked all over the place.

"Maybe they all got lost," Cyrus said.

Meanwhile, Holly was bouncing Pingo along a shelf. She was singing to herself.

We looked at Holly, and then we looked at each other.

"Excuse me, Holly," I said with exquisite politeness. "Do you mind if we borrow Pingo for a game?"

Holly stared at me in horror.

"You'll *hit* him!" she said.

"Well, of course . . . " I began.

Holly gave me a cold stare.

"I am going for a walk with Pingo," she said, and she walked out of the game room.

"Wait!" We all followed her.

"Listen, Holly," I said. "You can't go for a walk by yourself. You'll probably get eaten by wild bears. Wild bears are particularly fond of the taste of selfish, horrid little girls."

"Toria!" Abby was shocked.

"I can't help it," I said. "She's ruining everything."

"Let me talk to her," said Will.

We walked out of the lodge and down a path that led through the woods. Will walked ahead with Holly.

"Holly . . . " we heard Will say, " did it ever occur to you that Pingo might actually enjoy . . . ?"

They disappeared around a turn in the path.

Abby and I sat down on a rock. Cyrus explored around in the bushes. Abby and I began to talk. It was just like the old days.

All of a sudden we heard this terrible shrieking.

"Holly!" I said.

Cyrus ran over to us. "Sounds like a wild bear got her," he said.

"Don't say that!" I was scared.

"C'mon, Toria." Abby grabbed my hand and we ran.

When we came to a clearing, we saw Holly. She was lying on the ground screaming.

"Her arm is missing!" Cyrus said. "The bear got her arm!"

"Don't be silly," I said in this calm grown-up voice. "Her arm is stuck in a hole."

"I can't reach!" Holly screamed. "It's too deep. Oh, Pingo! Pingo!"

A few people were gathered around her — some campers and a couple of kids with fishing poles.

"Let me try," Will said gently.

Holly sat up. Her arm was all dirty.

Will kneeled down and put his arm into the hole. "It's very deep," he said. "Does anyone have a flashlight?"

A boy in a red shirt fumbled in his knapsack. He handed Will a flashlight.

"Thanks!" Will lay down and shined the flashlight into the hole. He put his head right next to the flashlight.

"The hole bends," he said. "I can't see a thing."

"Pingo!" Large tears were rolling down Holly's cheeks. "Oh, Pingo!"

"Who's Pingo?" someone asked her.

"Pingo is my pet!" Holly cried.

A few more people joined the crowd.

"What happened?" they asked each other.

"Little girl lost her puppy down that hole," a man explained.

"Abby," I whispered. "Let's get out of here. This is embarrassing."

Then I heard a lady say, "Well, I'm calling the Animal Rescue League right this minute."

"Excuse me, ma'am." I tapped the lady on the shoulder. "You don't have to do that. You see, my sister lost her . . . um . . . Ping-Pong ball."

"What?" the lady asked.

"It's a Ping-Pong ball stuck down there," I mumbled.

In no time at all, the whole crowd had moved away.

Abby found a crooked branch and peeled off some leaves. She handed it to Will. "Maybe you can get it out with this," she said.

Will grinned at her. He took the branch and slid it down into the hole. "I can feel it," he said. "I'm going to try to roll it out."

Slowly he pulled up the branch.

"No good," he said. "It just rolled away." He tried again. "Nope," he said. "Every time I get it to that bend, it rolls away from me."

Will suddenly jumped to his feet. "Hey! Cyrus!" he called. "Chew me up some bubble gum, quick!"

Cyrus looked surprised. "What makes you think I have bubble gum?" he asked. He had a guilty look on his face. He is not allowed to chew gum.

"We might be able to use it to get the ball out," Will said.

"Oh, I get it," Cyrus said. He reached into his pocket and took out five pieces of bubble gum. He chewed them into a wad. Then he handed the wad to Will.

Will put the gum on the end of the branch. He tested it to make sure it was sticky enough. Then he stuck the branch down the hole.

After a few seconds, Will said, "Won't work. The dirt gets all over the gum. It won't stay sticky."

Will sat down on a log. Cyrus sat down next to him.

"Let's go," I called to Holly. "There's nothing more we can do."

Holly shook her head. She was still crying, but in a soft, pitiful way. She sat down next to Will.

Abby and I stood there trying to decide what to do. "My parents will be getting worried," I said. "Poor Holly," said Abby.

All of a sudden we heard Holly laugh. She laughed again. Abby and I went over to see what was going on.

"Sh-h-h," Holly whispered. "He's pretending to be Pingo."

Will was talking in this high bubbly voice. "It certainly is dark in here," he said, "but I'm not afraid. Maybe I could figure out a way to get out of here. Let's see. If only I could jump up..."

Now, I've seen Will do things like this before. He tries to put himself in an object's place to solve a problem. You might say he was putting himself into Pingo's "shoes."

Holly patted Will's arm. "Poor Pingo," she said. "Poor Pingo. Are you lonely? I bet you miss Sam. Are you lonely for Sam?"

"I never liked Sam," Will growled.

Holly's eyes opened wide, but Will was already talking again in that high bubbly voice. "I am light — very light and full of air. If only someone would give me a little push. They could even blow me out. My, my, a vacuum cleaner would be useful, but it is a bit hard to plug it into a tree . . . "

Holly giggled. Then she said. "Pingo, how come your voice is so *bubbly*?"

"Huh?" Will stared at her.

"You sound like bubbles," Holly said.

"Will!" said Abby. "Listen to what she just said!" Abby seemed very excited. "Bubbles, Will! She said, 'Bubbles'!"

"Wow!" Will jumped up. "That's it! That's the answer!"

He turned to Holly. "Holly," he said, "you are about to see The Rescue of Pingo!"

I stared at my two best friends.

They both knew a way to rescue Pingo. I couldn't figure it out. Can you?

Will and Abby's Solution:

"We're going to float Pingo out!" Will said.

"Flood the hole!" said Abby.

Abby and I used my mother's picnic cooler as a bucket. We filled it with water and carried it to the clearing. Then we dumped the water into the hole. We had to fill it a few times.

Before long Pingo came bobbing out.

Holly dried off Pingo on her T-shirt. Then she said, "Pingo wants to play Ping-Pong now."

But everyone was too tired.

The Day of the Monsters

SANDY HARBOR, FRIDAY, OCTOBER 10 —

Today we had Fall Field Day in Jordan Park. We always play against the same school — Monrose Elementary. We play them in soccer, volleyball, relay races, and other sports events.

At 1:15 we heard their bus pull up. As usual they were screaming at the top of their lungs:

"We are the Monrose Monsters
Fighting for our side.
We are the Monrose Monsters
Known both far and wide . . ."

Monrose School *is* known far and wide. Here are some of the things they are known for: cheating, punching, kicking, littering, and gobbling up refreshments.

The only one who enjoys these field days is our gym teacher, Miss Santiago. She was walking up and down the field with her megaphone.

"C'mon, boys and girls," she shouted to us. "Where's our school spirit? Let's hear some cheers from the Sandy Harbor Elves."

None of us felt much like cheering. In fact, we were all sitting on the bleachers waiting for Field Day to be over.

Will was sitting in front of me. He suddenly stood up. "I have a cheer, Miss Santiago," he called.

"How nice, Willy," Miss Santiago said. "Let's hear it!"

Will cupped his hands around his mouth.

"Who's going to win?" he shouted.

"Monrose!" we all shouted back.

"What do we wanna do?" Will yelled.

"Go home!" everyone yelled back.

"Hooray!" Miss Santiago shouted. She never listens very carefully.

We watched the Monrose kids rush over to the refreshment table and stuff their faces with cookies and fruit juice. Then they threw the paper cups around.

"Oh, no!" Chuck groaned. "There's Red Jamieson! I get black and blue just looking at him."

Red Jamieson is the meanest, toughest kid at Monrose. Naturally, that makes him the school hero. Last year he spent the whole soccer game punching Will in the arm. When Chuck finally told the referee, Red started kicking Chuck.

"By mistake," Red kept saying. "The ball moved. I couldn't help it." By the end of that game, Chuck was so sore he was hopping around on one foot.

We watched Red. He was fishing around in a juice pitcher for ice.

"I suppose he is going to stick it down our backs, as usual." Emily sighed. She was sitting next to me. Emily and I are both on the volleyball team.

Red handed the ice out to his friends so that *they* could stick it down people's backs. Then he looked around for other things to do. A minute later he was busy destroying the welcome sign that was hanging from the table. The sign said, "WELCOME MONROSE. HAVE A HAPPY FIELD DAY!" It was decorated with dried autumn leaves and red and gold glitter. Red pulled off the leaves and crumbled them up.

"How sad," Emily said. "It took the

first grade two whole weeks to make that sign."

"We need a plan," Will said. "We've got to keep Red busy so he has less time to pick on kids."

"How?" Chuck asked.

"I don't know," Will said. "All I know about Red is that he loves to bet on things."

"Let's go warm up," said Chuck. "Maybe we can think up a good bet."

I watched Will and Chuck kick a soccer ball over to the other side of the field.

Red Jamieson strolled over to the bleachers. He looked around. Then he grabbed a little kid in the front row.

"Where are those two creeps?" he asked the kid.

The kid looked scared. "Oh, what two creeps do you mean?" he asked Red politely.

"He's looking for Will and Chuck!" I whispered to Emily. "We've got to warn them!"

Emily and I took off across the field.

"Red's looking for you!" I told Will. Then I looked over my shoulder. "Too late," I said. "Here he comes!"

Red was walking across the field, followed by a gang of his buddies. He came right up to Will and punched him in the arm.

"Hi, creepo," he said. "How much ya wanna bet we win the soccer game?"

"I don't feel like betting on the game," Will said.

"What's the matter?" Red asked. "Scared to bet? Afraid you'll lose?"

"Listen, Red," said Will. "If you'll stop punching me for a few minutes, I'll be happy to make a bet with you — but not on the game."

"Oh, yeah?" Red asked. He turned to his friends. "The little elf wants to bet.

"What d'ya wanna bet about?" he asked Will.

"I'll bet," Will said, "that I can kick this soccer ball so that it goes away from me, stops, and comes back to me again."

"That's easy," said Red. "You'll just

bounce it off something."

"Oh, no," Will said. "That wouldn't be fair. The ball will just come back by itself."

"That's impossible," said Red. "Did you hear that?" he asked his buddies. "This little creep thinks he can kick this ball and make it come back to him."

"Bet him, Red," his friends said. "Then punch his nose through his face."

"Nice," Emily whispered to me.

"Okay," Red said, "I'll bet. But if you lose, I get to punch you as hard as I want."

"What if I win?" Will asked. "Then do I get to punch you?"

"No," Red said. "If you win, you don't get a punch."

"That seems fair," his friends all said.

I didn't think it sounded so fair, but it didn't matter. Will won the bet!

Do you know how he did it? See if you can figure it out.

How Will Won the Bet:

Will held the soccer ball in his hands. He turned to me.

"Keep score, Toria," he said.

Then Will kicked the ball straight up into the air over his head. The ball stopped and dropped down into Will's arms.

"Hey!" Red shouted. "That's not fair."

"One to nothing in favor of Sandy Harbor!" I called.

Red just stood there. He was staring at Will. Some of his buddies began to laugh. I was sure Will was going to get a good hard punch.

But instead, Red turned to his buddies.

"Hey!" he said. "Let's go pull that one on Jimmy!" And they went away.

"Good work!" We all shook Will's hand.

The Day of the Monsters, Part II

SAME DAY, SAME PLACE —

But Fall Field Day was just beginning. Miss Santiago was giving a speech.

"We welcome our favorite rivals," she said. "And now it's time to begin our team sports. Once again our two schools meet in the spirit of friendship and fair play . . ."

I whispered to Emily. "Remember that swimming meet when Gretchen Messer kept swimming on top of my head?"

Emily nodded. "I wouldn't exactly call drowning someone fair play," she said.

We walked slowly over to the volleyball court. The Monrose team was waiting for us. They had a new school cheer. It went like this: "Kill 'em! Kill 'em!"

"Nice," Emily said.

I found myself right across the net from Gretchen Messer. "There's that girl named Flora," she told her friends. She was pointing right at me.

"Hi, Flora!" she called. "How are ya doing, Flora?"

"She knows my name's not Flora," I muttered to Emily.

"Just pretend you don't hear," said Emily.

As soon as we started playing, Gretchen was all over the court. She kept screaming, "I've got it! I've got it!" Then she'd spike the ball right at me — right at my teeth.

"Boy, are we losing," Emily said.

"Look," I said, "the sooner we lose, the faster this game is over—and the longer I have teeth in my mouth."

The volleyball game was over long before the soccer match. We went back to watch the rest of the soccer game.

To our surprise, Red wasn't playing. He was sitting on the bleachers watching. But the game looked the same as it did last year.

"I can't stand it!" Emily said. "They're kicking our team more than they're kicking the ball."

"I've never seen so much tripping," I said.

A few minutes later Emily said, "What's wrong with Jill?"

Jill is our goalie. She is very good. But she kept standing at the goal blinking her eyes. Every time the ball came near the goal, she shaded her eyes and missed.

"Hooray!" the Monrose Monsters shouted.

Suddenly I noticed a flash coming from the bleachers.

"Look!" I grabbed Emily's arm. "Red's got a mirror!"

Sure enough, Red was sitting there holding a small pocket mirror. He was using it to reflect the sun right into Jill's eyes.

Emily jumped up. "I'm telling Miss Santiago!"

I watched Emily run over to Miss Santiago. Miss Santiago nodded. Then she patted Emily on the head.

Emily came back looking very unhappy.

"What did she say?" I asked.

"Oh, she didn't listen to a word I said," said Emily. "She just said, 'Now, now, we mustn't be sore losers.' "

"Next year," I said, "we'll all get a stomach ache and stay home."

The relay races were painful. And we lost every one.

"And now," Miss Santiago announced, "we come to the last race of the day—"

"Hooray!" All at once the Sandy Harbor Elves were cheering wildly.

"It's almost over!" we shouted. "Hooray!"

"Today we have a special race." Miss Santiago smiled. "A really fun race."

She waved to two kids who came out wheeling two bicycles. One bicycle was green with a green-and-white flag on the back. "ELVES" was written on the flag. The other bicycle was dark red with a red-and-black flag. It said "MONSTERS" on it.

"We are going to have a bicycle race," Miss Santiago said. "Once around the track."

"That shouldn't take too long," said Chuck.

"Now, I want each school to pick its best cyclist," said Miss Santiago.

"That's you, Chuck," everyone said.

"Oh, no," Chuck said. "I hurt all over."

But he went onto the field and took the green bicycle with the Elves' flag.

Gretchen Messer was chosen to race

for the Monrose Monsters. She wheeled the bicycle with the red-and-black flag to the starting line.

Miss Santiago waited for both of them to line up.

"This day is almost over!" I breathed a big sigh of relief.

Miss Santiago smiled a big smile. Then she said, "This is really going to be fun. Are you ready? Now pay attention. The winner of this race will be the one whose bicycle finishes *last*! Isn't that fun?"

"Oh, no!" Chuck turned around and stared at Miss Santiago.

"Here are the rules: It is difficult to pedal slowly, so if one of you falls off the other one is allowed to stop and wait until you get back on. Do you understand?"

Chuck and Gretchen nodded.

"Ready, Set, GO!" Miss Santiago blew her whistle.

The first five minutes seemed like hours. Chuck and Gretchen pedaled as

slowly as they could. They kept losing their balance, falling off, and starting again.

At first the Monrose kids seemed to be enjoying the race. They laughed their heads off every time Chuck lost his balance.

The next few minutes seemed even longer. The bicycles had gone less than 30 yards, and the Monrose kids were looking for better things to do. They had lost interest in the race.

"The animals are restless," I whispered to Will. Red Jamieson and his buddies were huddled together on a bench. They kept looking at me and Will.

"They're up to something," Will said. "We've got to speed up this race."

Chuck's pants got caught in his bicycle and he fell off again. He looked exhausted. Gretchen got off her bike and waited for him.

"Miss Santiago," Chuck called. "Can't we change the rules?"

"We can't change the rules in the middle of a race," she called back. "No, it's the one whose bicycle finishes last."

I saw Red and his gang get slowly to their feet. They started to move toward us. Will was watching them.

Chuck and Gretchen were pedaling again, but they were swerving all over the place. Their bicycles collided and they both fell off. The red and green bicycles were lying on the ground.

"I've got it!" Will shouted. He ran down to the track. Then he whispered to Chuck and Gretchen, who were still sitting on the ground. I saw them both shake their heads and laugh.

The next moment they were racing as fast as they could to the finish line.

Do you know what Will said to Chuck and Gretchen?

The Day of the Monsters — Part II

Will's Solution:

Will told Chuck and Gretchen to switch bicycles! It was the one whose *bicycle* finished last that would win the race.

So Chuck rode the red Monsters' bike and Gretchen rode the green one with the Elves' flag on it.

And, believe it or not, Chuck came in first on the Monsters' bike. So *his* bike came in last — and he won the race. It was the first time in history that Sandy Harbor beat the Monrose Monsters!

The Case of the Telltale Tattletale

SANDY HARBOR, WEDNESDAY, OCTOBER 22 —

Something terrible happened at the end of that Field Day. I didn't even know about it until the next morning.

This is what happened. Will was sitting on the ground next to the bleachers changing his shoes. Red Jamieson "jumped or fell" from the bleachers and landed right on Will's leg.

Now, I say "jumped or fell" because I want to be fair, especially since I am going to be a reporter when I grow up. But every kid who was there says that Red jumped. Only the grown-ups say that Red "must have fallen."

In any case, Will is stuck at home with a broken leg. It was the small bone in his leg that broke. The doctor says that bone takes longer to heal than the big one.

Every day after school I bring Will his homework. The first week he was home I also brought him bunches of letters from the kids at school. Most of the kids wrote to tell Will what they would like to do to Red Jamieson if they ever got hold of him.

Then there were the get-well cards from Miss Abel's first grade.

"More dried leaves?" Will asked as he opened one of the envelopes. "There are dried leaves all over my bed."

"Miss Abel's class went a little wild over dried leaves this year," I said.

Will was in a good mood that first week. His leg hurt, but he had plenty of things to do. His mother brought him puzzle books and pieces of balsa wood to make model airplanes.

This week Will seems to have

changed. He just lies in bed with his leg propped up on a pillow and looks out the window. He doesn't seem to be interested in anything. He hasn't touched his puzzle books. He started working on the wing of a model airplane, but he never got around to finishing it. It is just lying on his night table.

"Does your leg hurt?" I asked him today.

"No." Will was staring out the window.

"Well," I said, "I have some nice homework for you. And there was a letter from Abby in our post office box. I saved it for you to open. Chuck sent you another puzzle book and three photos of his new puppy." (Chuck finally got that dog he wanted. It is a shaggy white puppy named Duchess.)

Will put Abby's letter and the puzzle book on a pile of books next to his bed. He didn't even look at the pictures of Duchess.

I was getting tired of being cheerful. "What's the matter with you, Will?" I asked.

Will didn't say anything for a few minutes. Then he turned to me and said in this flat voice, "Toria, do you know how it feels to have *nothing* to think about?"

I have never heard Will talk like this. "What about the puzzle books?" I asked.

Suddenly Will took a puzzle book and

threw it across the room. "No!" he shouted.

I stared at Will. I couldn't believe he was acting this way.

"I need *real* things to think about. Toria," he said desperately, "didn't *anything* exciting happen at school?"

"Well, Sandy lost her gymsuit. The gerbil got loose for five minutes . . . um . . . Emily and I got separated for talking in music. . . ." I have to admit it had been a pretty dull week.

"Didn't anything *mysterious* happen?" Will asked. "An unsolved crime? Something for me to *think* about?"

"Well, there may be some mystery surrounding Sandy's lost gymsuit — "

"Oh, come on, Toria!" Will sounded angry. "Sandy loses a gymsuit once a week!"

"Well, you don't have to get mad at me," I said.

We were quiet for a few minutes. I was about to leave when I remembered Abby's letter.

It was addressed to T*A*C*K. We use our allowance each month to rent a box at the post office. Our box number is 8225. If you look at the dial on a telephone, you will be able to figure out why Will wanted that number.

Dear T*A*C*K *(Abby began):*

Something strange is going on in our class. Someone is writing notes to the teacher telling her what people say about her behind her back. No one knows who is sending her these notes.

We only found out about them last week when Miss Wigglesworth got so upset she called our parents and read them the notes over the phone. Here is what they said:

MARK SAYS YOU SPIT ALL OVER THE FRONT ROW WHEN YOU SPEAK. HE SAYS YOU SHOULD "SAY IT — NOT SPRAY IT."

ALLISON SAYS SHE HAS TROUBLE STAYING AWAKE IN YOUR CLASS. SHE SAYS YOU ARE BORING AND WEIRD-LOOKING TOO.

JODY SAYS YOU ALWAYS LAUGH AT YOUR OWN JOKES. NO ONE ELSE THINKS THEY ARE FUNNY.

My parents got a call too. Here is what the note said about me:

YOU OUGHT TO SEE THE FUNNY PICTURES ABBY DOES OF YOU IN HER NOTEBOOK WITH YOUR TEETH STICKING OUT.

All our parents said, "How awful! Who could be doing this?" And Miss Wigglesworth, who was just about crying on the phone, said she didn't know. She couldn't even tell whose handwriting it was because all the notes were written in big capital letters. She also said each note was signed with a funny ink blot at the bottom.

Allison's mother called Miss Wigglesworth back. She asked her if she could see one of these notes because she is a child psychologist and might be able to track the kid down.

Miss Wigglesworth said she had just thrown all the notes into the fireplace. She couldn't stand to have them around.

We all feel terrible. And here's the thing: All those notes are true. We really did say and do those things.

Miss Wigglesworth *is* kind of weird-looking, and she *does* tell terrible jokes, but now we feel sorry for her. We feel sorry for ourselves too. It is really creepy to know there is a spy right in our classroom.

HELP!

Your Agent-on-Remote,

Abby

"Will," I said in a quiet voice, "I believe a mystery has landed right in our laps!" I handed him the letter from Abby.

Will read the letter. "Wow!" he kept saying. "Unbelievable! How awful!" But his eyes were shining. "We have to write to her right away!"

Will and I worked so long on that letter to Abby that Mrs. Roberts brought me a dinner tray too.

"Your mother says you can stay," she whispered to me. "I just spoke to her. Thank you so much for cheering Will up. He was so miserable before you got here."

Finally the letter was finished. I mailed it that night.

Dear Abby *(it said):*

T*A*C*K is happy to take The Tattletale Case. Will and Toria will be working on it because Chuck has to go home from school every day to take care of his new puppy.

Please answer these questions:

1. Is there any one person who could have heard all those remarks about Miss Wigglesworth?
2. Are there any suspects? Are there any rumors? Did anyone see anything?
3. Can you send us the following:
   a. A seating chart of your classroom.
   b. THE NEXT NOTE! Abby, you have to try to get it. T*A*C*K is also very interested in that ink blot!

Your Friend,
T*A*C*K

THURSDAY, OCTOBER 23 —

This afternoon I found Will sitting up straight in bed. He was surrounded by books.

"Mystery stories," he said. "Detective stories. My mother got them for me from the library. I'm sharpening up my mind."

"Just imagine!" I said. "We're working on a mystery that is 300 miles away! I just wish the mail would hurry up."

MONDAY, OCTOBER 27 —

There was a letter from Abby in Box 8225. Here it is:

Dear T*A*C*K:

To answer your questions first: Anyone could have heard those remarks because they were all made in public places, like the lunchroom and the gym. Anyone could have passed my desk and looked at my notebook.

There are no suspects. But everyone is getting suspicious of everyone else. For a while I wasn't even trusting Gilly, who is my best friend here.

But then, last night, Gilly's parents got a call from Miss Wigglesworth. She had found a note under a blackboard eraser when she was cleaning up. It said:

GILLY SAYS YOUR FAVORITE SUIT — THAT GREEN PLAID ONE — LOOKS LIKE A BLANKET FOR A HORSE.

Now, Gilly *did* say that and I have to admit I thought it was pretty funny at the time, but when I talked to Gilly she was crying. Her parents are punishing her. She can't go anyplace for two weeks. And she feels terrible about hurting Miss Wigglesworth's feelings.

Today was depressing. Miss Wigglesworth wore an even worse suit — this fuzzy purple thing. She never tells jokes anymore. All she does is give us homework — tons of it.

Tonight I have to do eight pages of math, read a whole chapter on Eskimos, and write a business letter pretending to complain about a product. Ugh!

Abby

P.S. HERE IS A SEATING CHART.

Will asked me to put the seating chart up on the wall. Then he showed me a book he was reading called *Poison in the Mailbox*. "This is about a small town where someone is sending poison pen letters. That's what Miss Wigglesworth is getting — poison pen letters. Now, it's very interesting because it seems people who write them are secretly proud of their work. They are so proud they often give themselves away — sooner or later."

"I don't see how that helps us," I said, "*or* Miss Wigglesworth."

"Toria," said Will. "We've got to get hold of one of those notes. I have a feeling that the ink blot can lead us to the tattletale!"

FRIDAY, OCTOBER 31 —

Before we even had a chance to write to Abby, we got a letter!

Dear T*A*C*K:

Things were pretty quiet this week. Miss Wigglesworth seemed a little happier. She even wore the horse blanket to school one day.

Then today after school I was helping Miss Wigglesworth fix up the classroom. (We take turns every day.) She asked me to hang our business letters on the bulletin board. I was feeling happy because my letter got a very good mark. You see, I had complained about a parachute I had ordered, and I put Pleasantville Hospital as the return address!

VERY AMUSING! Miss Wigglesworth had written at the top. I was feeling quite fond of Miss Wigglesworth.

I saw her go to her desk chair and put on her jacket, which had been lying over the back of the chair. When she stuck her arm in the sleeve, a piece of paper fell out.

Miss Wigglesworth picked it up, read it, and then crumpled it up. She threw the piece of paper into the wastepaper basket and left the room.

You will be happy to know that I got that note out of the wastepaper basket . . . AND HERE IT IS!

Your Agent-on-Remote,
Abigail Pinkwater

Will and I stared at the enclosed note. It was all wrinkled, but it wasn't hard to read:

YESTERDAY DURING MATH, GILLY HELD HER NOSE AND WHISPERED TO ABBY, "WHY DOES SHE WEAR SO MUCH PERFUME? IT SMELLS AWFUL!"

Sincirely,

"Will," I said softly. "Will, look!"

"I don't get it," Will said. "It looks like a puddle!"

"No, no, no," I said. "Not that!"

But Will wasn't paying attention. He was still staring at the funny ink blot.

"The Mysterious Puddle?" he asked.

I couldn't help laughing. "No, Will, that's not it. *Look at the way 'Sincerely' is spelled!*"

"What's wrong with it?" Will asked.

Now, Will is very smart, as you know, but he is not the best speller in our class.

"It's spelled wrong!" I said. "It's spelled with an 'i' instead of an 'e'!"

"Wow!" Will shouted. I was afraid he was going to jump right out of bed with a broken leg. "Get the stationery quick, Toria!"

Dear Abby (*I wrote*):

Who in your class spells "sincerely" like this: "sincirely"???

Let us know at once!

T*A*C*K

"Wait a minute!" Will said. "There are business letters all over the bulletin board. She'll be able to find out right away!"

Quickly I wrote a P.S.

LOOK AT THE BUSINESS LETTERS ON THE BULLETIN BOARD!

"I'm taking this right to the post office," I told Will.

As I left the room, I noticed Will was staring at the seating chart.

THURSDAY, NOVEMBER 6—

We got an answer from Abby today!

Dear T*A*C*K:

You won't believe it but there are *four* people who spell "sincerely" like this: "sincirely!" Those people are Sara, Allegra, Samantha, and Steven.

I didn't know what to do. Finally I decided to tell Miss Wigglesworth about the misspellers and the note I found. Yesterday, after class, I tried to talk to her, but she said she didn't want to hear about those notes ever again.

"Please leave me alone," she said. "I don't want to discuss it."

So I went to our principal, Mr. Cole. He was quite interested in the story. He arranged a meeting for tomorrow with me and the four misspellers.

I WILL WRITE TO YOU RIGHT AFTER THE MEETING!

A.

"Oh, no!" I said. "Four suspects!" I looked at Will. He was studying the seating chart.

I looked at the chart too. I thought about our last clue — the note. "You know, Will," I said. "All four of them sit close enough to have heard what Gilly whispered to Abby."

Will nodded.

Carefully I circled their names. I sighed. "Four suspects!"

"Well, it's better than a class full of suspects," Will said.

* * *

Today there was no letter in Box 8225.

"But she promised to write right after the meeting in the principal's office!" I said to Will. "I can't stand this suspense."

"We really need to find out what happened at that meeting," Will said.

Will's leg is getting better. He will be going back to school next Wednesday, but on crutches, of course.

"What if we haven't solved The Tattletale Case by then?" Will asked.

"Maybe we'll never catch The Mysterious Puddle!" I stared at the ink blot at the bottom of the note until I thought I would go crazy.

The doorbell rang downstairs. A moment later Will's mother came into the room. "A special delivery letter just arrived," she said, "addressed to you and Toria." She handed Will a letter with the word CONFIDENTIAL written all over it.

As soon as she left the room, Will

tore open the letter. "Ouch!" he said. "Toria, you're sitting on my leg."

"Sorry," I said. But I wanted to read the letter too!

Dear T*A*C*K:

We just had the meeting in Mr. Cole's office. It was very confusing.

Mr. Cole told Sara, Allegra, Samantha, and Steven that they were suspects. He said I was a suspect too, just in case they wondered what I was doing there.

Sara said, "But I wouldn't do a thing like that. I *like* Miss Wigglesworth!"

Allegra said, "Well, I certainly didn't do it, but it's funny . . . the other day I saw Samantha put something in the sleeve of Miss Wigglesworth's jacket."

Samantha said, "That's crazy. I never did any such thing. Allegra's lying."

Then Steven turned to Allegra and said, "*You* were the one fooling around with Miss Wigglesworth's jacket. I saw you!"

Now What?

Abby

Will sighed. "Well, we finally know who did it," he said.

I stared at him. "Well, maybe you do."

"Can't you figure it out?" Will asked.

"No," I said. "Samantha and Allegra were *both* seen putting something in Miss Wigglesworth's jacket."

"Someone is lying." Will picked up a puzzle book. "Toria," he said, "I don't believe anyone is lying just to get someone else in trouble. There was only one person at that meeting who needed to put the blame on someone else — the one who did it. And, if that's true..."

Will opened the puzzle book. To my surprise it was a very babyish puzzle book. He turned to a page and started connecting the dots.

"Will!" I said, "Stop doing that! You tell me right this minute which one did it."

"Toria," Will said, "I wonder if Abby can use The Mysterious Puddle to trap the tattletale."

But who did it? Do you know?

The Case of the Telltale Tattletale

Who did it?

Will was already back at school hopping around on crutches when we got the last letter from Abby:

Dear T*A*C*K:

You were right! Of course it was Allegra!

If Allegra had been telling the truth and Samantha did it, why would Steven say Allegra did it? He had no reason to lie. No one said they saw *him* do anything, so he didn't need to put the blame on anyone else.

Besides, even if he had been guilty, he didn't have to say anything. Samantha had already been accused.

But I wanted to trap Allegra. I wanted to get her to give herself away. I didn't want to be a tattletale myself. I decided to use The Mysterious Puddle.

The day after I got your letter, I walked into the cafeteria and sat down next to Allegra. Gilly, Samantha, and Sara were at the table too.

"I've seen one of those notes," I said. "It's really weird. There is a terrible picture of a puddle at the bottom."

"That's not a puddle," Allegra said. "That's The Shadow—" And then she clapped her hand over her mouth. Everyone stared at her.

Miss Wigglesworth is not getting any more notes!

Your Loyal Agent-on-Remote,
Abigail Pinkwater

James

su vida

Nelson Fredy Padilla

James
su vida

Historia de un héroe y de un país

AGUILAR

Primera edición: noviembre, 2014
Primera reimpresión: mayo, 2015

Cra. 5a. A N°. 34-A-09, Bogotá D.C., Colombia
PBX (57-1) 743 0700
www.megustaleer.com.co

Diseño de cubierta: Patricia Martínez Linares
Foto de cubierta: AFP/NURPHOTO
Diagramación: Samanda Sabogal Roa

Impreso en Colombia-*Printed in Colombia*

ISBN: 978-958-58548-7-1

Impreso por Nomos Impresores, S. A.

Penguin
Random House
Grupo Editorial

«La derrota tiene algo positivo, nunca es definitiva.
En cambio la victoria tiene algo negativo,
jamás es definitiva».

José Saramago

«Tengo una permanente fascinación por los deportes
como símbolo de la necesidad humana de éxito».

Gay Talese

Contenido

CAPÍTULO

1

ENTRE LA FICCIÓN Y LA REALIDAD

Una de las peores épocas de la corta vida de James Rodríguez fue cuando en el colegio lo pusieron a leer *Cien años de soledad*. Juan Carlos Restrepo, su padrastro, ingeniero de sistemas, supo el tamaño del problema cuando le compró la voluminosa novela y el niño preguntó con cara de terror:

—¿Me tengo que leer todo esto?

—Sí señor.

—¿Y a qué horas voy a entrenar?

—Para todo hay tiempo en la vida si uno es disciplinado.

Cuando Juan Carlos llegaba del trabajo le preguntaba:

—James, ¿ya leyó?

—Sí, Juanca.

—¿Seguro? Ahorita le tomo la lección.

Desde la sala se oían los sonidos del Play Station y no los del hojear de las 432 páginas de la obra de Gabriel García Márquez. Nunca pasó de las primeras páginas de la novela, en parte por pereza y en parte porque su cerebro solo asimilaba una materia: el fútbol. De manera que para no reprobar castellano estudió los resúmenes de cada capítulo hechos por el ingeniero de sistemas, estricto con él y a la vez solidario porque lo había programado como futbolista desde que tenía cuatro años de edad. «Juanca» sentaba al frente al «hijo calidoso» —como siempre lo ha llamado y lo tiene identificado en WhatsApp— para hacerle leer en voz alta su versión de la novela. Luego debía responderle preguntas básicas con respuestas que seguramente ya olvidó.

Recuerdos. Divertido que el protagonista sea un coronel llamado Aureliano, como su abuelo paterno, el papá de su papá biológico y también futbolista Wilson James Rodríguez. Que una de las protagonistas se llame Pilar (Ternera) como su mamá. El factor sobrenatural lo aburrió. Sin embargo, el día en que el nobel de Literatura murió, James publicó vía Twitter: «Muy triste por la partida de Gabo. Su obra hizo gigante el nombre de Colombia. Condolencias a su familia». Es lo más cerca que ha estado de la literatura clásica, aunque ahora como alumno arrepentido lee libros de superación. Tal vez se hubiera interesado más en Gabo al descubrir que el libro incluye un pulso entre la fuerza mental de Aureliano júnior y la fuerza física de José Arcadio Buendía, una combinación ideal que logran a plenitud pocos seres humanos y que entonces a él ya lo preocupaba, no en clase de español sino con el balón bajo el pie izquierdo.

La ciudad de Ibagué no parece Macondo. En un día nublado el sopor de los 30 grados centígrados a las dos de la tarde reverbera la tribuna principal y la cancha de arenisca grisácea del estadio de El Jordán II Etapa, la barriada donde creció el futbolista. El viento trae florecitas color violeta. Caen dando giros sobre su eje. «Son de los árboles de ocaso», dice J. J. González, un asistente técnico de 65 años que lleva 19 en la Academia Tolimense de Fútbol guiando a los niños vestidos de amarillo y azul. Varios cambiaron la camiseta del club por la número 10 de la Selección Colombia. Se oyen gritos infantiles de lado y lado: «Párela como James», «acuérdese como levanta la cabeza James», «péguele tres dedos como James». «Aquí comió tierra James —señala J. J.—. Era muy bueno, de toma y dame, pero había que joderlo, empujarlo para que diera el máximo».

La ocasional llovizna de florecitas nada tiene que ver con el realismo mágico. La historia de vida de este muchacho tiene que ver más con un realismo sucio similar al que retrata las desventuras diarias y las glorias escasas del ser humano en las narraciones de Raymond Carver. En esta cancha áspera con piedritas que laceran las piernas de los más osados japoneses y franceses grabaron hace poco sendos documentales sobre la nueva estrella del fútbol mundial. Para hacer más atractiva la historia, dijeron los productores, pusieron a actuar durante horas a los amigos de infancia de James, repitiendo tomas y parlamentos hasta satisfacer su ojo comercial, sin que les dieran un peso ni les enviaran el video prometido.

Los ávidos investigadores no se detuvieron en la precariedad de las condiciones de entrenamiento de los niños. No son las comodidades de un club de verdad, sino el entorno de la pobreza y las necesidades insatisfechas. El campo hay que dividirlo en cuatro partes para que puedan usarlo igual número de escuelas. En un extremo trabajan los infantiles, enseguida preinfantiles y más allá «babies» y «prebabies». Los baños están clausurados y es normal verlos salir corriendo, durante los dos minutos que les dan para beber el agua que les traen los familiares, a orinar en el parque vecino, justamente en la raíz de los ocasos. No hay dinero para el mantenimiento del derruido escenario, ni para pagar servicios o empleados. De una decena de lugares como este dependen los 52 clubes registrados en la liga local.

Nadie protesta, los niños juegan dichosos y los padres sueñan, sentados en las polvorientas escalas de cemento, con ser tocados por la varita mágica del fútbol millonario. Miseria no es porque la mayoría tiene trabajos dignos y se ayudan en comunidad cuando deben reunir el dinero necesario para que sus hijos jueguen campeonatos locales y viajen a algunos regionales. «El día a día del estrato medio bajo», opina Diego «El Tuto» Noreña, uno de los amigos más cercanos a James.

La visión de Neruda en «Los jugadores»: *Juegan, juegan. Los miro entre la vaga bruma del gas y el humo. Y mirando estos hombres sé que la vida es triste.*

¿Cómo llegó aquí el ahora 10 del Real Madrid? Por el azar que encauzaría las certezas de su vida. Es de la ciudad de Cúcuta, frontera con Venezuela, porque allí vivían su padre biológico, el futbolista Wilson James Rodríguez; y su esposa María del Pilar Rubio. Wilson era jugador titular del mediocampo del Cúcuta Deportivo. Cuenta él mismo que el 12 de julio de 1991, cuando vio que su hijo nació «varoncito», quiso llamarlo James porque le gusta más su segundo nombre, y en el fondo le ilusionaba verlo como futbolista. Pilar, católica de tradición familiar, le añadió el David para que el niño fuera bendecido por «la estrella divina».

James David Rodríguez Rubio nació en un país particularmente convulsionado por la violencia y encomendado a tres utopías: acababa de firmarse la Constitución Política de 1991 con el objetivo de fundar un nuevo país donde la desigualdad y la corrupción pasaran a un segundo plano, y donde hubiera oportunidades para todos sin importar su origen; el narcotraficante Pablo Escobar se había entregado a las autoridades en una cancha de fútbol de Envigado prometiendo someterse a la justicia luego de asolar a todo el país con asesinatos y secuestros selectivos de personajes públicos, así como con la explosión indiscriminada de carros bomba en espacios públicos, y las guerrillas de las Farc y el Eln estaban sentadas en una mesa de negociación con el Gobierno hablando de cese al fuego y la firma de una paz definitiva. ¿Imposibles? Un año antes se había hecho realidad algo muy improbable: que la Selección colombiana volviera a participar en un Mundial (Italia 90), así fuera con un grupo de talentosos jugadores transformados en íconos nacionales, durante la mayor infiltración de los dineros de la mafia a todos los niveles, con centenares de muertos de por medio. Quien creciera en esa década no podía ser ajeno a una realidad en la que el espectáculo del balón fue utilizado como cortina de humo de los males de Colombia. Para la niñez y la juventud la vida parecía asociada a la expresión «no futuro». James demostraría lo contrario.

En esa atmósfera de guerra, bajo «ciertos cielos» y ciertos afectos, empezaba a afinarse la existencia de un niño, como en las *Iluminaciones* de Rimbaud —el poeta precoz—, a través de una «infancia extraña» y «la inflexión eterna de los momentos». En medio de la algarabía y los cánticos de las barras bravas de La Banda del Indio, Wilson cargaba en los brazos a su bebé con el uniforme rojinegro hasta el círculo central de la grama del estadio General Santander. Era la mascota más pequeña del equipo y la más fotografiada chupándose el dedo índice derecho. Quien hizo seguimiento de ese proceso fue el fotógrafo del Cúcuta, Henry «La Pulga» Jaramillo. ¿Por qué? Wilson era una de las figuras del equipo, en especial por sus goles de media distancia, y «el niño era un mono tan bonito que todo mundo tenía que ver con él». La ceremonia se repitió hasta que cumplió dos años de edad. En la familia hay consenso acerca de que la educación sentimental del pequeño se dio en un ambiente de fútbol. No había aprendido a caminar y ya permanecía abrazado al balón de su papá. «Él traía eso en los genes», dice Wilson, nacido en Pijao, Quindío, eje cafetero colombiano, y emigrado a Medellín, otra ciudad trascendental en la historia de una estirpe de futbolistas en la que, parodiando a Gabo, «los hijos heredan las locuras de sus padres».

Lo que parecía felicidad en ese estadio era amargura en la casa de los Rodríguez Rubio. Wilson era muy buen jugador pero bebía cerveza en exceso, y quien primero se cansó de su indisciplina, antes que los equipos de fútbol, fue Pilar. Decidió separarse de él y regresar con el pequeño James a Ibagué, corazón de Colombia, su tierra natal y la de su familia. Cuando llegó a la casa empezó a buscar trabajo hasta ser contratada como secretaria en Cementos Diamante, gracias a su hermana Adriana. En una filial de transportes de esa empresa conoció a Juan Carlos Restrepo, ingeniero de sistemas y exjugador de las divisiones inferiores del Deportes Tolima.

Pilar quería sacar adelante a su hijo y encontró en Juan Carlos la seguridad que nunca le brindó Wilson, no solo a nivel emocional sino económico y familiar. Recibió muy bien a su hijo de tres años. Lo acompañaba al parque en el proceso natural de cualquier padre. Tenía cuatro años cuando le sorprendió que «Jamesito» parara con propiedad el balón rojiblanco que le había regalado su mamá, lo pisara y lo pateara con la zurda de una forma especial, no como lo hace un niño promedio. Le pedía golpearlo con todas las partes del pie y aprendía con facilidad. Advirtió que tenía un don, le compró unos guayos negros y le propuso a Pilar que lo llevaran a una academia. Por esos días empezaba su vida escolar en el Liceo Tesoros del Mañana, en la misma manzana B del barrio Arkaparaíso donde vivía la familia de Pilar, padres y cuatro hermanos, en una casa austera de tres pisos, detrás del almacén Éxito. Los abuelos Myriam y Alcides, los tíos Andrés, Mario, Patricia y Adriana, y los primos todavía se refieren a James como «El Mono», el mismo que retaba al que fuera en las canchas de microfútbol del vecindario y al que varios de ellos iban a buscar porque se hacía de noche y se negaba a volver a la casa.

Aplazaron la inscripción deportiva porque a Juan Carlos le surgió otro trabajo en Bogotá. Viajaron los tres a probar suerte. Cuando Juan Carlos retomó la idea del fútbol para James, la mamá no estaba segura por lo pequeño que era este y porque el fútbol no le traía tan buenos recuerdos, a menos que se hablara de su «Tolimita del alma», el equipo profesional de Ibagué del que ella le hablaba tal vez para que dejara atrás la primera influencia del Cúcuta. Al padrastro le recomendaron que fuera al complejo deportivo distrital El Salitre, donde le gustó la tradición del Sporting Cristal Colombia, formador de niños desde 1975 en canchas de pasto a un lado de la Avenida 68. Allí, según la hoja de vida de James, vivió durante 1996 un proceso de «fundamentación» bajo las órdenes de un profesor al que en los papeles solo se identifica con el nombre de Rafael. El niño era tan bueno que lo incluyeron en el equipo de uniforme blanco, verde y rojo que representó a la escuela en el «Mundialito de Fútbol» organizado por la Liga de Fútbol de Bogotá. El juego había empezado.

CAPÍTULO

2

EL BALÓN Y LOS SENTIMIENTOS

Pilar no vivía feliz en la capital del país. No se sentía bien con la altura sobre el nivel del mar, el frío y la lejanía de la familia. Acordaron que ella y James regresaran a Ibagué y Juan Carlos los visitara los fines de semana. Ella volvió a trabajar y como el pequeño estaba en edad escolar regresaron al dilema de dónde matricularlo. Antes que el colegio, Juan Carlos averiguó por la mejor escuela de fútbol, con la idea de que fuera cercana a donde terminara la primaria. Llegó al Club Campestre, con bonitos campos de fútbol en pasto y buena formación a cargo de James García, tan buen alumno del exitoso técnico profesional Jorge Luis Bernal, que lo remedaba hasta en la forma de hablar. Aunque al profesor le impactó la técnica de su pequeño tocayo, tuvo que darle una mala noticia al padrastro: «Solo puedo admitir a los hijos de los socios del club». La cara de tristeza de James aquel día sería de júbilo cuando en esas canchas que añoró a través de las rejas se sacó la espina al ganar su primer campeonato y dar su primera vuelta olímpica.

Como los Restrepo Rubio no tenían el dinero ni las recomendaciones para darse el lujo de un club privado, le pidieron a James García que les sugiriera una opción buena y económica. Los mandó para la Academia Tolimense de Fútbol, escuela de formación popular fundada en 1995. También averiguaron en la Academia Boca Juniors, pero se decidieron por la Tolimense. La mensualidad costaba solo 25 000 pesos y quedaba en el sector de El Jordán, cerca de donde vivía la familia de James. En principio el niño estudió hasta tercer grado en el colegio María Montessori, donde oyó hablar por primera vez de un goleador italiano llamado Francesco Totti, su primer gran referente internacional; luego, en la central escuelita Montealegre, donde no aparecen registros ni profesores que lo recuerden, y enseguida en el colegio público Juan Lozano y Lozano, ubicado a una cuadra de la academia y a tres de la cancha de las florecitas moradas.

Quien recibió a James y sus padres en la Academia fue Armando Yulbrainner Calderón. Este bogotano, veterano de referencia en el mapa futbolero de Ibagué y apodado «el profe Yul», guarda en el mismo archivo de las 180 hojas de vida de sus actuales alumnos una bolsa plástica con las pistas de cómo se hizo futbolista el «chiquitín» que, el 20 de septiembre de

1998, llegó emocionado de la mano de Pilar y Juan Carlos. Reconstruye este diálogo:

—Papi, ¿por qué quieres jugar aquí?

Y James le respondió a media lengua pero sin dudar:

—Porque quiero ser futbolista profesional.

Para él la influencia del fútbol había sido intensa ese año. La Selección Colombia jugó el Mundial de Francia y hacía poco sus tíos lo habían llevado por primera vez a ver jugar al Deportes Tolima al Manuel Murillo Toro, el estadio profesional de Ibagué, hoy presidido por una valla gigante con el letrero ¡Gracias James! Ese día salió dichoso y decidido a vivir pegado a jugar ahí algún día. La seguridad de lo que quería se evidencia en la hoja de inscripción: firmó James David con letra firme y pegada, señal de coherencia si de grafología se trata. En la adolescencia le agregó las dos R mayúsculas de Rodríguez y Rubio. Más impactado quedó «Yul» en la arenisca de El Jordán:. «Mostró una riqueza, un trato del balón y una elegancia únicas. Lo más impresionante fue ver que ya era un jugador que mantenía la cabeza arriba. Un niño a esa edad juega con la cabeza agachada y se amontona, él no; la paraba y tenía visión periférica para buscar el espacio libre. Yo dije: "¡Por Dios! ¿Cómo puede jugar y pensar así a los siete añitos?"».

Como si supiera de las profecías de Proteo, Felipe «Pipe» Gómez, el mejor amigo de James, le atribuye una especie de clarividencia: «Visualizaba cosas que le iban a suceder, me las decía y le pasaban. A mí ya no me sorprende nada de él». Tampoco a otros amigos que han notado en momentos clave este particular rasgo de su personalidad. García Márquez, en su *Manual para ser niño,* defiende una teoría según la cual algunos nacen con poderes adivinatorios sobre su vida: «Creo que algunos niños a cierta edad, y en ciertas condiciones, tienen facultades congénitas que les permiten ver más allá de la realidad admitida por los adultos».

«Yul» se para, va al muro bautizado «Momentos inolvidables» y empieza a señalar las fotos de los equipos en los que jugó James. Su mamá, la señora de la tiendita de al lado y uno de sus ayudantes oyen como si fuera la primera vez que se enteran de la historia. Le presta atención hasta *Messi,* el perrito mascota de la Academia. Al fondo suena la narración de cada uno de los seis goles que hizo James Rodríguez en Brasil 2014. Acababa de recibir en la sede del Real Madrid el botín de oro como goleador del Mundial. «Lo que se les aconseja es que el estudio está primero, porque uno no sabe si van a llegar o no. El caso de James fue especial, el fútbol era su prioridad. Por eso hacía lo que fuera, incluso escaparse del colegio».

El cómplice de esas travesuras fue «Pipe» Gómez. El colegio los aburría profundamente. «A duras penas nos gustaba educación física o artística. En el Juan Lozano nos daban facilidad para entrenar, nos dejaban salir a las 12 del día y a veces, apenas se descuidaban los profesores, nos volábamos por la puerta principal y nos íbamos a jugar toda la mañana al Jordán. Siempre he sido muy alcahuete de él. Si nos encontraban ahí o en la polvareda del Bocaneme, no nos importaban las consecuencias, lo que nos importaba era el fútbol».

Se conocieron en el condominio Las Palmeras de Ibagué, también junto al almacén Éxito. «Me asomé por la ventana y vi a un monito con una camiseta de la Roma y el 10 de Totti. Me llamó la atención porque se le notaba porte de jugador. ¡Me pareció tan bacano! Yo casi no salía. Bajé y empezamos a jugar en la calle con arcos de piedritas. La familia de James me empezó a llamar "Cabezas" y nos fuimos conociendo porque jodíamos mucho afuera y después la pasábamos jugando Play Station y viendo *Supercampeones.* Me parece verlo gritando lo que decía el narrador de la serie cuando el número 10 hacía un gol: "Oliver cambia el balance del juego". Lo raro es que nos gustaba estar juntos, pero él no profundizaba, era muy callado». Familiares y amigos coinciden en que nunca le gustó estar solo sino con sus amigos o con su perro *Simón,* un pastor collie por el que más adelante sufriría mucho.

La relación se hizo sólida en la academia. «Cuando mi mamá me inscribió, él ya estaba entre los mejores en el Jordán, era el líder del equipo con César Núñez, "Cesitar", el goleador. Yo empecé con los más malitos y destaqué como volante abierto o delantero. Entonces el profe "Yul" me puso a jugar con ellos y así nos volvimos grandes amigos, más cuando James vivía por El Pedregal y allá había piscina».

—Pipe, ¿qué está haciendo?

—Nada, James.

—Véngase a amanecer en la casa y mañana nos vamos a tirar piscina y a entrenar.

—De una, marica.

«Llegábamos de jugar por la mañana, y piscina, llegábamos de entrenar por la tarde, y piscina, hasta de noche nos metíamos a la piscina, siempre con un balón a jugar a los goles hasta que nos sacaban. A veces entrenábamos en Comfatolima y allá nos lanzábamos de los toboganes. En la mente de James siempre hubo una piscina y un balón». Quince años después de esas llamadas, todavía hacen los mismos planes. A través de los teléfonos celulares, cuando James está en Colombia, se cruzan mensajes de: «Amigo, ¡vamos a tirar piscina!», seguido de un «Ja, ja, ja, ja». Una vez se encuentran, no paran de hacerse bromas y reír a carcajadas.

«En Las Palmeras había un parquecito y cogimos el pasamanos de arco hasta que reventamos los vidrios de algunas casas. A Juan Carlos le llegaron con la queja, y al verlo regañar a James para que dejara de ser indisciplinado me di cuenta de lo estricto que era —dice "Pipe"—. Una tarde me contó que él no era su papá sino el padrastro. Yo tampoco tuve a mi papá, crecí con mi mamá y mi hermano, y ahora siento que "Juanca" me ayudó mucho en lo personal, con ejemplos y anécdotas de vida. Nos hacía memorizar muchas frases de motivación como: "Hoy tengo que levantarme y ser el mejor.

No desistir, sino persistir". Con Pilar nos aconsejaban y nos llevaban a comer. Nos gustaba ir a una ciudad de hierro y a un parque de diversiones. Nuestro preferido era el trampolín en el que uno "resorta". Jugábamos a ver quién llegaba más alto». Cree que su amistad con James se fortaleció por el déficit afectivo de la ausencia del padre biológico que tuvieron los dos. «Pensándolo bien, el fútbol y los amigos llenaban en cierto modo ese vacío». ¿El deporte como ámbito de afirmación de la masculinidad y sustitución de la figura paterna? Puede ser. Juan Carlos lo fortalecía diciéndole que él era afortunado porque tenía tres papás: «el biológico, James; el putativo, yo; y el del cielo, Dios».

¿Inseguridades? «Pipe» y «El Tuto» coinciden en que la única era el tartamudeo por el que «todavía se la montamos de metralleta», aunque piensan que ha mejorado mucho la dicción para lo que era. ¿Miedos? «No. Tal vez a perder». «Le daba cierto miedo la bicicleta porque todos éramos medio loquitos con las bicis. Hacíamos maromas con una sola mano o soltando las dos, y a él nunca le gustó. Nos esperaba con su balón, sus guayos y su pantaloneta. Tampoco le gustaban los yines». Una vez le compraron bicicleta pero se caía tanto que terminó abandonándola, temiendo una lesión que no lo dejara jugar fútbol. El padrastro le decía que era negado para eso porque «montaba con el chasis atravesado».

Las cualidades futbolísticas, el espíritu competitivo y los comentarios que hacían técnicos y padres de familia sobre el potencial de James llevaron a Juan Carlos a dibujar en un papel uno de los esquemas con los que le gusta exponer sus ideas para convencer a Pilar de que renunciara a su trabajo y se dedicara de tiempo completo al niño. La decisión que cambiaría la vida de la familia estaba tomada: todos vivirían en función de hacerlo futbolista profesional. El padrastro le dijo: «Tu talento hoy no es nada y no lo será si no hay detrás un proyecto de vida». ¿Apuesta muy arriesgada teniendo en cuenta que apenas empezaba a crecer? Sí, pero los padres estaban convencidos del potencial. Una frase de su mamá hizo carrera: «James David nunca quiso ser futbolista, él desde que nació fue futbolista».

En uno de los videos testimoniales que hacen parte del DVD que el padrastro mandó grabar para promocionar a su «Calidoso» como estrella del fútbol colombiano con potencial internacional a los 16 años, Pilar recuerda que la relación padres-hijo se desarrolló entre el amor y la exigencia deportiva: «Desde entonces los mayores críticos de James han estado en su casa, por encima de los directores técnicos que ha tenido». Es decir, desde chico estuvo sometido a la presión de no defraudar a su familia ni a sí mismo para cumplir las metas planeadas y revisadas año por año, metodología familiar que se impondría a rajatabla hasta que cumplió 18 años y quedó listo para las grandes ligas.

Una de las primeras medidas impulsoras del proceso fue contratar a Dagoberto Cortés, técnico que trabajaba en la academia con los juveniles y venía de las divisiones inferiores del América de Cali. Como la cancha de El Jordán no daba abasto con tanto niño y la familia quería una formación particular adelantada, le pidieron a Cortés que lo sometiera al mismo plan de trabajo de los jugadores mayores. Eso, aparte de lo que aprendía con el técnico de infantiles, Álvaro Guzmán «El alcalde». Lo que le enseñaba el técnico juvenil lo ponía en práctica y lo corregía a nivel infantil.

En ese proceso de formación había otros sentimientos en contrapeso que en ese mismo documental afloran de boca de otro testigo, el introvertido «Cesitar», que dice, sin mirar a la cámara: «Considero a James como mi hermano». Es verdad. César Núñez hizo parte de la familia Restrepo Rubio porque en la cancha de entrenamiento y en la casa se constituyó en el mejor socio de James. «Es como si hubiéramos nacido para jugar juntos. Yo lo veía girándose, le marcaba la diagonal y me la ponía exacta para cobrar». Él viajaba a entrenar desde Lérida, un pueblo hirviente cercano a Ibagué, y su padre, con el mismo nombre y profesor de educación física, lo entrenaba y hacía hasta lo imposible para que su hijo fuera futbolista. «Los dos eran callados, casi no cruzaban palabra, pero se entendían a la perfección con el balón en los pies», cuenta repasando álbumes de fotografías.

Los papás de James invitaron a «Cesitar» a vivir con ellos. Lo llamaban «Chorolo» por la cantidad de cabello que tenía. Durante dos años jugaron y durmieron en la misma habitación como hermanos. «Nos prendíamos la gripa. Aprendí muchas cosas de él. Me enseñó a jugar Play. Él se creaba en el Real Madrid y yo en el Chelsea, y siempre me ganaba». La compañía seria y silenciosa relajaba a James y, cuando quería extrovertirse, buscaba la compañía de «Pipe». «A "Cesitar" le decíamos "el amargado" porque no compartía algunas cosas con nosotros y duraba días sin hablarnos». Hoy es jugador del Expreso Rojo, club de la primera B del fútbol colombiano con sede en la ciudad de Girardot, cerca de Bogotá. Sigue siendo introvertido y las palabras que pronuncia son para agradecer el apoyo que ha recibido de James y su familia, más en las malas que en las buenas, en Ibagué, Medellín y Buenos Aires, Argentina. No todos los días son soleados y azules como en la niñez.

CAPÍTULO

3

APRENDER A GANAR

Llegaban en gavilla de entrenar, sacaban pecho y retaban en la calle a los incautos de cualquier cuadra. Por el alto nivel técnico que ostentaban, siempre les ganaban «el *bolis* o el *cholao,* como llamábamos al *raspao* de hielo». El reinado les duró hasta el 2002, cuando el jugador del Deportes Tolima, John Charria, un vecino que les había visto las cualidades desde la ventana de su sala los puso en su lugar. «Vean, pelaos, ustedes la mueven bien pero tienen muchas cosas que aprender», les advirtió. En el primer momento quedaron mudos. Luego gritaron: «¡Es Charria!», y se atrevieron a timbrar en la puerta de su casa para rogarle que jugara con ellos diez minutos. El delantero del Valle del Cauca terminó «paladeándolos» y enseñándoles «los primeros secreticos» de lo que era ser profesional de la pelota.

En sus días de descanso, además de participar de los encuentros callejeros, los invitaba a disfrutar de los videojuegos y a seguir hablando de fútbol. A medida que Charria labraba su camino como goleador histórico del Tolima, con 65 anotaciones, ellos no se perdían los partidos en que jugaba ni la repetición de sus jugadas en televisión. Se sentían orgullosos de conocerlo, iban al Murillo Toro a verlo, fantaseaban jugando en ese pasto áspero, y en su honor hacían el avioncito cuando celebraban los goles propios en la academia o en el peladero que fuera. Esa amistad les transmitió confianza, tanta que por primera vez se revisaron la musculatura y hablaron de «hacer gimnasio». «Para defendernos en la cancha teníamos que ser muy "cuajados", como Charria». Los ídolos ya no estaban al otro lado del mundo, como Totti, sino en la cuadra del frente. El sueño era posible.

A la trinca de James, «Pipe» y «Cesitar» se le sumaron por obra y gracia de la categoría A de la Academia, «El Tuto» Noreña, Felipe «Aristi» Aristizábal y Yamel Guzmán. El profe «Yul» evoca al mejor equipo que ha tenido en casi 20 años: «Con los nacidos entre 1990 y 1991 teníamos a James de 10, a "El Tuto" por la derecha, a Yamel por la izquierda y en la defición a Núñez, a "Aristi" y a Hans Forero, "El Gusi"». Yamel jugaba de 10 hasta que James llegó y lo hizo mover a la punta. A pesar de la clase que le reconocen sus amigos, «por cosas de la vida» terminó jugando fútbol profesional de salón, estudia ingeniería de sistemas, trabaja con Movistar y va a torneos aficionados con «El Tuto». Los empresarios del arroz, por ejemplo, les pagan cien mil pesos por juego. «Gusi» jugó en la categoría B profesional con el club Compensar, de Bogotá. Hizo tres goles la primera vez y luego no se mantuvo. Junto a ellos también creció otro volante de calidad llamado Edwin Posada, jugador del Deportivo Pereira e integrante del primer equipo en el que jugó James. Y Daniel Aldana, gran lateral izquierdo, Ricardo Perdomo, excelente defensa central, y Alberto Bustos, que juega en la B con Bucaramanga. En las fotos del archivo de la Academia visten un uniforme rojiazul que les donó el dueño de un taller de mecánica automovilística. James y Johnny Otálvaro, agachados, y en aparente forcejeo por quién va a posar con el balón. A Otálvaro lo consideraban excepcional porque manejaba las dos piernas con la misma técnica y potencia. Alcanzó a llegar al Independiente Santa Fe de Bogotá y se refundió.

El primer campeonato que ganaron fue el del Club Campestre donde jugaron por invitación de James García, que luego viajó a estudiar a los Estados Unidos y allá se quedó como técnico de *soccer*. «Eso fue especial porque sentimos que los niños "pobres" les podíamos ganar a los niños "ricos"». Paradoja doble: ahora por cuenta del fútbol, la abuela materna de James, y él cuando viene de descanso, disfruta de una amplia casa en inmediaciones del club al que alguna vez le negaron el ingreso. Esa copa les sirvió para conseguir el patrocinio del Instituto de Recreación y Deporte de Ibagué. En la foto oficial

James sale con el ceño fruncido y los brazos cruzados porque le pidieron quitarse la mano de la cara. «Tuvo un bache en ese equipo cuando mudó los colmillos —dice Yul—. Se tapaba la boca a toda hora y andaba como "bajoneado" hasta que le volvieron a salir y volvió a sonreír». Estaba listo para jugar, incluso con dolor de muela o gripa.

Una anécdota contada por «El Tuto» da una idea de que ninguna dificultad se interpondría para lograr los objetivos: «Ganamos un partido de un campeonato porque el otro equipo no llegó y decidimos practicar entre nosotros. James me había dicho que tenía mucho dolor de estómago y cuando iba a conducir un balón que yo le pasé no pudo aguantar más. Pues la mamá corrió, se lo llevó para la casa y a los 15 minutos volvió a jugar bañado y cambiado. ¿Usted cree que otro niño hace eso? No. Yo no hubiera vuelto en días».

«Yul» saca del talego los carnés registrados en la Liga de Fútbol del Tolima con las fotos de James en cada etapa: la primera con una camiseta tipo polo apuntada hasta el último botón y un mechón mono que le cae en la frente; la segunda cuando era preinfantil, con cara de resignado porque acababan de peluquearlo a ras; la tercera es del equipo B categoría infantil y la cara de bravo se la atribuye a que le decían que estaba más gordito; en la cuarta está feliz por el ascenso a categoría A, cuando empezó a peinarse hacia atrás como los niños mayores, y la quinta es de la categoría Pony Fútbol, donde se ve serio, con pose de niño grande y ya no tan cachetón. Al papá biológico lo llamaban «Cachetes» y no le gustaba que le recordaran el apodo.

Siempre era el primero en estar al día en papeles y en llegar a entrenar y el último en irse, disciplina infundida por los papás. «El amor de James por este deporte no habría bastado si su familia no se hubiera obsesionado como él. Siempre recibió el apoyo irrestricto de Pilar y Juan Carlos, y luego de su hermanita Valentina. No importaba si había que sacrificar estudio, vacaciones, endeudarse, lo que fuera, con tal de que el niño participara en todos los eventos. James sudaba fútbol por los poros. Salía de aquí a meterse en los videojuegos de fútbol. En los cumpleaños el ponqué tenía que ser en forma de estadio o de balón».

Todo el que pasa ahora frente a la oficina se detiene a ver un gran pendón en el que se lee «de la Academia para el mundo» y las fotos impresas de las distintas etapas del *crack*. Llega una madre con su hijo Duván Caicedo, de 15 años. Vienen desde la lejana vereda Chucuní, movidos por el fenómeno James y el deseo del adolescente de ser profesional. Dos semanas de prueba bastan para saber si tiene posibilidades. Timbra el teléfono para otro cupo. Entra J.J . para confirmar que «le ganamos 3-1 a Masacruda».

«El Tuto» es un recio mediocampista que llegó a jugar a nivel profesional en el Deportivo Pasto y no quiso vender ni regalar los videos inéditos que su papá grabó antes de que James se convirtiera en atracción mediática en la Copa Pony

Fútbol. «No tienen precio, son un recuerdo mío». Uno es del primer campeonato realmente internacional que lograron: el Festival Binacional de Escuelas de Fútbol Infantil realizado en la frontera con Venezuela contra 18 equipos, también de Panamá, entre el 30 de junio y el 7 de julio del 2002. Había tres categorías y los tolimenses ganaron las tres. Dio para noticia de página completa en el diario local *La Opinión* y de primera plana en Ibagué. El equipo de James se impuso en la fase clasificatoria en la sede de Villa del Rosario. Ninguno olvida que esa fue la cancha más dura en la que jugaron en la vida. «La del Jordán era bella comparada con esa. Parecía de cemento. Era de un barro tieso en el que los taches no entraban».

Derrotaron en la final a Quinta Oriental, favorito y local, con goles de «Cesitar», goleador general con 13 anotaciones, y «El Tuto». Tuvieron la valla menos vencida. La secuencia se repetía: James, el mejor jugador del torneo, encabeza la celebración por la pista atlética del General Santander de Cúcuta, el mismo estadio en el que su papá lo puso con contacto con el fútbol desde que era un bebé. Nadie distinto a él y a su mamá Pilar sabían lo que significaba volver allí a recoger los primeros pasos de una familia desarmada nueve años antes por el fútbol y reconstruida a partir de la misma esencia. De las lágrimas pasaron a la dicha. Dan gracias a «Yul» por la manera como los está formando. Corren luciendo camisetas de campeones estampadas con amarillas llamas flameantes sobre fondo negro. Gritan: «¡Campeones!, ¡campeones!». James contempla «el trofeo más bonito que había recibido hasta ese momento»: base de madera con un primer nivel de tres pilares plateados que resguardan una estrella brillante; segundo nivel, un cáliz de base plateada, la copa pintada a mano con fondo turquesa y naturaleza verde; sobre la tapa el tercer nivel, un cántaro plateado en el que grabaron en relieve una portería de fútbol, un balón y un guayo. No quiere soltarlo, quiere llevárselo a la casa. Hoy es el más atractivo entre los exhibidos en las vitrinas de la academia. Fue el primer viaje internacional de James porque estuvieron conociendo y haciendo compras en San Cristóbal y Ureña, Venezuela. Repitieron triunfo y paseo en el 2003.

En otro video se ven los niños a los 11 años de edad durante los encuentros eliminatorios y las finales en el Campeonato Nacional de Comfenalco, en Armenia. Impresiona detallar cómo paraban el balón, cómo lo pisaban, cómo utilizaban el cuerpo para protegerlo, cómo triangulaban tocando en corto. Talento puro. La insolencia y el atrevimiento como caldo de cultivo. «Una generación irrepetible». «Pipe» visualiza ese momento como uno de los que empezó a advertir imágenes de las que ya le había hablado James, fijándose metas y soñando con lo que le iba a pasar antes de los partidos. Por ejemplo, los meses previos al torneo en el que participaron 30 equipos de todos el país se quedaba junto a él viéndolo practicar tiros libres y de media distancia.

—«Mono», ¿para qué tanto «entrene» si ya le pega mejor que todos nosotros?

—«Cabezón», porque todavía no le pego perfecto de tres dedos como Totti.

Y en Armenia, donde fuimos campeones dos veces seguidas, se hizo un golazo desde donde me había dicho. ¡Me tapó la boca! Allá le ganamos a equipos de Medellín que siempre han sido potencias: San Bernardo, Belén Rincón, Calasanz. Entrábamos a la cancha y yo le decía:

—«Mono», estoy asustado. Esos paisas son muy buenos.

—«Cabezón», fresco, metámosela toda, nosotros somos mejores.

Hay una foto de James Rodríguez en la vuelta olímpica. Figura: diez del equipo y capitán. Detrás las banderas y los padres de familia con los brazos en alto. Como fue el 19 de diciembre, recibieron regalos, entre ellos un gorro navideño que alumbraba el nombre de cada cual.

Entre el 2001 y el 2002 James se volvió fanático de los galácticos del Real Madrid. Aparte de Totti, el brasileño Roberto Carlos era su referencia para pegarle al balón con efectos y lograr curvas. «Veíamos las jugadas en televisión y luego las buscábamos en Youtube para imitarlas. Así aprendimos a jalarla para la Ronaldinha y cuando quedó campeón de la Champions gracias a esa volea de Zidane contra el Bayern Leverkusen. Salíamos a practicarla y a pararla como él. Lo del Real nos lo gozábamos en el Play. De Colombia imitábamos cosas de "El

Pibe" Valderrama. James se fijaba sobre todo en cómo hacía los pases. "Eso es ser un diez", decía. Todo eso no favoreció después en la cancha».

Más situaciones en la construcción de una personalidad. A la mente de «El Tuto», en la sala de su casa en Ibagué, frente a un balón pintado con los colores de la selección Colombia bajo el cristal de la mesa de centro, llegan imágenes de esos dos años previos al punto de quiebre que fue la Pony. «Los profes veían la capacidad de James y lo protegían, pero él no quería preferencias. Los balones de la Academia eran Molten viejos, muy pesados; sufríamos para patearlos, las uñas se nos ponían negras. En parte de ahí salió la potencia de nuestra pegada. La costumbre era que llevaban la talega a la mitad y los botaban sobre la cancha. Solo había un balón bueno. Uno de los niños menos hábiles del equipo agarró el mejor balón y el entrenador Álvaro Guzmán le gritó:

—Éver, venga.

—¿Señor?

—Deme ese balón.

—¿Por qué?

Se lo quitó y llamó a James.

—¿Sí, profe?

—Tenga, este es suyo.

—¿Por qué?

—Porque usted debe jugar con el mejor balón.

—No, profe. Este lo cogió primero Éver. Yo entreno con el que me tocó.

Cuando le devolvió el balón a Éver hubo un silencio que dijo mucho».

«Yul», el guía y entrenador principal, piensa que por James no había que hacer mucho porque tenía el camino marcado. «Traía un talento innato. A cualquier club donde hubiera llegado, ese niño habría salido profesional. Traía el 90% de su potencial. ¿Qué hicimos aquí? Cuidarlo, foguearlo, llevándolo a cuanto torneo hubiera para que se consolidara. ¿Qué le enseñamos? Le insistimos que mejorara la forma de perfilarse, hacia el frente, porque recibía la pelota y se volteaba, entonces quedaba de espaldas al arco. Aprender a manejar los perfiles. De resto, fue clave que estuvo rodeado de muy buenos compañeros que supieron aprovechar su clase».

El patio de «Aristi» era la segunda sede para encontrarse a jugar picaditos en una cancha armable de Coca-Cola o a hacer gol en una portería pintada en la pared. «James se quedaba en mi casa y yo me quedaba en la de él, ya fuera detrás del Éxito, en San Francisco, hacia el lado de El Vergel, o en el barrio Departamental, que es por el estadio Murillo Toro». La mamá del anfitrión recibió a James muchas veces. «Iba a lo que iba, nunca se sentó a hablar conmigo». Les gustaba cómo rebotaba el balón contra el muro del Éxito. «Le dábamos durísimo y a cada rato salíamos corriendo porque se activaba la alarma y venían los celadores a regañarnos. Al rato volvíamos y después nos íbamos a jugar Play. No había nada distinto a eso. En los partidos nos entendíamos igual. Yo era puntero por la derecha, "Cesitar" llegaba por la izquierda y James era nuestro volante pasador».

Con esa fórmula las victorias llegaban una detrás de otra. «¡Oh días, niños!», decía Rimbaud. Se volvieron tan exigentes y ambiciosos que en la academia solo guardan trofeos de campeones. Los de segundo o tercer lugar se rifan entre los alumnos. «Ganábamos todos los partidos 10-0 o más. Fácil. Los únicos [partidos] en los que nos esforzábamos eran contra Gramadeportes y Tolima, y también terminábamos ganándolos. Por eso el 80% de la selección departamental era de la Academia. Empezamos a participar en campeonatos regionales y fuimos a Bogotá a buscar competencia», confirma «Aristi», sentado en la oficina de Bodega La 17, un local de venta de ropa de su familia en el centro de Ibagué que patrocinó a la Academia y donde trabaja mientras se repone del segundo rompimiento de ligamento cruzado de la pierna izquierda. Lo más triste es que el día que recayó hace siete meses en un campeonato aficionado en Medellín, el exjugador de la Selección Colombia y ahora técnico Ricardo «Chicho» Pérez le ofreció hacerlo futbolista profesional. Con rabia tuvo que decirle: «¡Claro!, es el sueño de todos, pero ahora no puedo». Sabrá si le queda carrera cuando salga de la incertidumbre de la rehabilitación.

CAPÍTULO

4

CONOCER UN PAÍS, CONOCER EL MAR

A la edad que tenían, pocos niños habrían viajado tanto a lo largo y ancho de Colombia, siempre en bus. Todo del bolsillo de los padres de familia, en especial de las mamás, que inventaban todo tipo de eventos para recaudar dinero: bazares, fiestas, rifas, venta de empanadas, patrocinios por pequeños que fueran para comprar uniformes, sudaderas, agua, alimentos. «Con Pilar, la mamá de James, éramos de hacer lo que fuera y de estar siempre en la tribuna», dice la madre de «Aristi».

Primero participaron en un campeonato nacional que se realizaba en Bogotá, en El Salitre. Viajaban cada quince días. James jugó en el 2001 la Copa Tutti-Frutti como parte de un equipo de niños que le llevaban dos años porque eran nacidos en 1988 y 89. Lo subían de categoría para que desarrollara más capacidades. Junto a «Cesitar», «El Tuto» y «Aristi» llegaron a ganarse la titular. Al comienzo no jugó con la 10 sino con la 16. Ninguno recuerda por qué, pero desde ese evento en adelante los de la fila de adelante ya no se agachaban para la foto, sino que se arrodillaban. En diciembre del 2001 ganaron en Bogotá el Torneo Internacional Copa Rey Pelé. James aprendió quién era el tres veces campeón mundial con Brasil y por ahí llegó a los mágicos videos de Maradona.

Al tiempo viajaba a los partidos de la selección infantil de Tolima, junto con «Cesitar». Uno vestía la 10 y el otro la 9. Jugaron campeonato nacional en Villavicencio y regionales en el eje cafetero y el Huila. La presión era grande, más para James. «Su padrastro era psicorrígido —opina "Aristi"—. Lo regañaba, le pedía correr más, si hacía un mal pase le decía: "Si va a vivir de esto, usted no se puede equivocar". Hubo un partido en El Jordán en el que James no aguantó más gritos y se salió llorando y manoteándole. Lo llevaba a un punto de tensión muy duro para un niño de 12 años. Una exigencia que en el momento no se veía normal pero ahora se ven los frutos. Hay que reconocer que ese señor tuvo muchísimo que ver con lo que es James». «Exigente» y «perfeccionista» son las palabras con las que lo describe James, las mismas con que la familia habla del propio James.

Cada semana hacían uno o dos recorridos de entre cuatro y ocho horas. En un bus iban los papás y en otro la camada de jugadores. «No sentíamos cansancio porque molestábamos hasta que nos quedábamos dormidos, James con las manos entre la pantaloneta». «Yul» reconstruye con satisfacción: «Nos íbamos un día y llegábamos al otro con todos los percances típicos: pinchazos, varadas, carreteras malas, mareos. Tanto que recorrimos en esos dos años previos a la Pony y no nos pasó nada grave, gracias a Dios. Hubo sustos, como que el chofer se está durmiendo o que en Doradal, por Antioquia, había un sector por el que los grupos paramilitares no nos dejaban pasar después de las seis. También era la época de los secuestros de la guerrilla, las llamadas "pescas milagrosas'. Se asumía el riesgo y nos sacrificábamos con los padres de familia, animados por los éxitos deportivos. Pilar y Juan Carlos ayudaron de una manera espectacular. James veía lo que hacían por él y ponía su parte en la cancha».

«Muchas veces nos quedábamos en casas-hogar. Los padres de los jugadores del otro club nos recibían por días y tratábamos de quedar juntos con James, pero "Yul" no nos dejaba compartir. "Es que ustedes joden mucho", decía», recuerda «Pipe».

En un viaje —ahora enmarcado en fotos— fue a conocer la sede del Deportivo Cali. Quedaron maravillados con la infraestructura, las canchas de césped podado, los camerinos, nada que se pareciera a lo que tenían en Ibagué. Vieron entrenar a las divisiones inferiores a las que luego les ganarían la final de la Pony y conocieron a un grande del fútbol colombiano: el exgoleador del Cali y de la Selección Colombia que fue al Mundial Italia 90, Bernardo Redín, el hombre que hacía los goles que fabricaba "El Pibe" Valderrama. En una postal James sale tirado a los pies del grupo que rodea al famoso, y con el brazo izquierdo hace la V de la victoria.

La travesía que nunca se les borrará de la mente es la que hicieron durante 18 horas para ir a Barranquilla al campeonato Asefal. ¡Cuando casi todos conocieron el mar!, incluido James. "Aristi" cuenta que estuvieron a punto de cancelar todo. «Como acordamos salir a las 6 de la mañana, amanecimos acostados en plena calle, frente a la Academia, esperando los buses que nunca llegaron». Hubo desconcierto y llanto. «Esa vez nos estafaron —reconoce "Yul"—, porque el señor trajo un bus, nos lo mostró, muy bonito. Dijo que tenía dañado el aire acondicionado y el televisor. Para repararlos necesitaba un adelanto. Le dimos la plata, llegó la hora del viaje, toda la calle del frente a la Academia llena de maletas, maletines, bolsos, tulas, balones, niños, adultos, gente que venía a despedirlos, y no llegó el transporte. Fuimos a la casa del señor y nos dijeron que se había trasteado el día anterior. Nos robó como tres millones de pesos. Nos tocó ir a las empresas y contratar otros y endeudarnos entre todos. Luego fuimos a la Fiscalía a poner la denuncia (nunca encontraron al responsable), y salimos para Barranquilla a las 3 de la tarde. Cuando llegamos al otro día a la Costa Atlántica ya estaba el desfile inaugural andando. Nos tocó bajar a los niños adormilados y meterlos en la fila. Siempre se tornaba en un viaje familiar, conseguíamos una casa, hacíamos cocina comunal con el recadito que conseguían entre todos, nos bañábamos en fila; los adultos nos levantábamos entre 4 y 5 de la mañana y a los niños los dejábamos dormir hasta las 7. Todo tratando de ahorrar, tasadito para que nos alcanzara para el mes que durábamos allá».

El equipo ganó bien los choques clasificatorios. A «Pipe» le impresionaba y le sigue impresionando cómo a James lo fortalece la ansiedad de la competencia, la presión que siempre ha tenido encima. En este caso se sumó «la oportunidad de conocer el mar». Sabían que si empezaban bien, iban a lograr el permiso para verlo en los días de descanso. «Me viene a la mente un golazo de tiro libre y media distancia que hizo en la cancha de Comonómeros. Yo lo conocía mucho y al ver volar ese balón hacia la red pensaba que era impresionante que un niño le pegara tan bien». En el viejo estadio profesional Romelio Martínez clasificaron a la segunda ronda. Hay una imagen en las afueras de ese edificio en la que se ve a los niños agobiado por el calor, James con un buzo de cuello tortuga y atrás la barra de los padres que incluía tambores para acompañar los acordes del bunde tolimense. Hay otra del 10 de la Academia en el gramado, sonriente, estrenando guayos y con doble camiseta. Victorioso aparece en otra foto abrazado con Camilo Giraldo, compañero que ahora es técnico de un club de Ibagué, «El Tuto» Noreña, el flaco pero grandulón «Beto» Bustos y el pequeño arquero

Cristian Ramírez, apodado «Pastel». La sonrisa de James es tan grande como el estadio.

El primer día de descanso la mayoría de familiares y niños querían ir a conocer el mar. A «Yul» no le sonaba. «Les dije: es un partido a muerte súbita nada menos que contra el Júnior. Tenemos que estar concentrados porque si le ganamos vamos a la final. Y todos empezaron a alegar: "Profe, déjenos ir". Yo respondía: "No, no, no". Ellos insistían: "Solo vamos y miramos". Al final dije: "Uno o dos familiares se hace cargo de cada niño". Llegamos y empezaron a molestar también los familiares. Todos estaban deslumbrados y querían bañarse. Autoricé: "Un ratico y los niños solamente miran". Apenas se metieron los primeros papás, empezaron a gritarme: "Profe, que allá se metió tal, por aquí el otro". James también, y yo le grité: "Mono, que se salga". Se me despelotaron, los reuní y les dije: "Bueno, diez minuticos en el agua aquí al frente de mí. Pasó el tiempo y no se querían salir. La felicidad de conocer el mar. Unos corrían, otros nadaban. Al otro día perdimos 2-1. Estaban sin piernas por efecto del peso del agua y de la arena. Y para rematar era en el Estadio Metropolitano, una cancha muy grande para un niño a los 11 años».

James se siente de Ibagué, una de las ciudades más lejanas a los dos océanos que tiene Colombia. Sin embargo, se enamoró del océano cuando vivió en Portugal, jugando para el Porto, y cuando ocupó un lujoso apartamento en Montecarlo, contratado por el Mónaco, frente a la Costa Azul. El fútbol lo acerca al mar desde aquel viaje a Barranquilla. Cada cual se ríe de la situación y le añade detalles. «Aristi» piensa que «nos afectó tragar agua salada, algunos estábamos con dolor de estómago, cansados y también nos llevaron a un centro comercial. Con James compramos un balón chiquitico y nos la pasamos jugando. Al otro día no queríamos correr». Lo que más los cansó, según «Pipe», «fue enterrarnos en la arena. Aparte nos echamos agua salada y nos pegábamos. Un desorden total». La imagen que tiene César es de todos quitándose la ropa y corriendo hacia las olas.

Ese fue uno de los pocos torneos que no pudieron ganar. El premio de consolación fue ganar el partido por el tercer y cuarto lugar. Los veedores del Asefal eran «El Pibe» Valderrama e Iván René Valenciano, quienes eligieron a James el mejor jugador del evento. Regañados, medio tristes, medio felices, volvieron a Ibagué después de otras 18 horas.

Balance de viajes: «Tanto juego afuera, tanta competición y un grupo perfecto que a donde iba ganaba hizo de James un futbolista único, y es muy difícil que salga otro así —dice la madre de "Aristi"—. Todo lo que vivimos fue como si el universo se hubiera confabulado en favor de él».

CAPÍTULO

5

APRENDER A PERDER

«Aristi» y James coincidieron en sexto y séptimo grado del muy católico Colegio Tolimense. Para su amigo «siempre demostró las dotes de un talento diferente, desde que jugábamos intercolegiados». En el patio del edificio se les pide «Sed hijos de luz» y el niño iluminado quería ser el mejor a cualquier costo. Se subía al primer lugar del podio de granito que hay junto a la piscina para cobrar los triunfos que había logrado en la cancha de pasto. Los goles ya los había celebrado frente a la tribuna pegada a El Castillo del Saber, donde ahora los niños de kínder también hablan de James.

Su profesor de educación física y técnico era Héctor Barrera Orozco, exdefensa de la Selección Tolima, a quien le gustó la personalidad que mostraba jugando. Un ensayo de trompetas es el sonido de fondo para sus palabras: «En el salón era un *pelao* pasivo aunque sobresalía como líder en la cancha. Le gustaba demasiado el fútbol y el estudio lo tenía descuidado. Apenas salía al recreo corría a pedirme prestado un balón Mikasa 4 o 5, y cuando terminaba me tocaba quitárselo. Entre los 11 y los 12 años no era de montoneras, de fiestas, ni de novias como los demás. La novia era el balón y yo era su alcahuete. Lo encontraba pateando en la cancha, iba con él hasta el salón de clases y decía: "Profesora, déjelo entrar que estaba conmigo"».

El profesor Barrera cuenta que lo más difícil a nivel deportivo fue enseñarle que no podía ganar todo. «Ganamos los juegos intercolegiados por los pases de él y los goles de Felipe Aristizábal. El triunfo que me viene a la mente fue de visitantes contra San Simón, un colegio que es potencia aquí, y le ganamos 3-2. Los pasegoles los hizo él. Cuando perdimos partidos porque nuestra defensa no era tan buena como la delantera, ese muchacho se alejaba y era solo lágrimas. Yo le decía que debía aprender a perder y Pilar lo calmaba. Pasó aquí contra el Champagnat y el Juan Lozano». Este último le dolió porque era el equipo de su anterior colegio y lo consideraba «pésimo». En una semifinal tuvo que enfrentarse a la Normal, donde estudiaba y jugaba su amigo «Pipe» Gómez. «Me decía que éramos pan comido. Los enredamos y les ganamos 1-0. Estaba furioso. Alegaba que nosotros éramos muy malos y que ganamos por suerte». Todos los que jugaban y todavía juegan Play Station con James lo describen como mal perdedor. «Tira los controles y exige revancha inmediata, y si no, hace pataleta».

La otra crítica que le hacía Barrera «es que era tan frío para jugar que no le gustaba hacer física sino quedarse parado en la mitad y pedir el balón. Leía muy bien el juego, no necesitaba matarse corriendo sino ver al compañero mejor ubicado o, si estaban cubiertos, le pegaba [al balón] de media distancia. Viéndolo hacer uno de esos goles, hice la similitud con su papá biológico a quien vi hacerle al arquero argentino Navarro Montoya un golazo desde 35 metros con el que sacó a Santa Fe del octogonal final. Le recordé eso y cómo se sacrificaba él en la cancha, le pedí ser práctico, no amarrar el balón, correr más, ayudar a recuperar el balón y a marcar, porque el fútbol es de equipo, no [un juego] individual. No hacía mucho caso, pero eso lo asimiló después como profesional».

En esa etapa James enfrentaba un conflicto afectivo. Según sus amigos en Ibagué, su papá biológico es muy recordado porque defendió la camiseta «vino tinto y oro» del Tolima y la amarilla de la Selección juvenil de Colombia en el Mundial de Rusia. No ocultaba el orgullo cuando le hablaban de él como jugador, pero si le preguntaban o le insinuaban algo sobre su relación hijo-padre no decía palabra y cambiaba de tema. Frente a terceros se refería a Juan Carlos como su papá, a quien obedecía como el mejor hijo.

Y en el plano académico, ¿cómo ascendía de un grado a otro? «Él ponía algo de su parte, poco, porque entrenaba con el equipo del colegio, con la Academia y con la selección Tolima —dice el profesor Barrera—. Mentalmente vivía para el fútbol y me imagino que llegaba a su casa a dormir. Era normal ver aquí a Pilar en la mañana poniendo la cara porque el niño no presentaba un trabajo o una previa. Y en la tarde venía a hacerle barra. Los profesores le tenían cierta consideración y pasaba raspando».

Los registros de sexto y séptimo grados lo delatan. Matemáticas: insuficiente. Inglés: insuficiente. Educación religiosa: aceptable. Filosofía para niños: aceptable. Ciencias sociales: aceptable. Ciencias naturales y educación ambiental: aceptable. Humanidades: aceptable. Música: aceptable. En la Secretaría Académica cuentan que los periodistas de ESPN de Portugal bromeaban viendo las calificaciones. «No es que fuera mal alumno, sino que no tenía tiempo porque se la pasaba entrene y entrene». Destacaba en Educación artística (Pintura y dibujo técnico): sobresaliente. Tecnología e informática: sobresaliente. Educación ética y valores: sobresaliente. Proyecto pedagógico: excelente. Educación física: excelente.

Su comportamiento general fue sobresaliente, pero hubiera perdido el año por 40 horas de fallas. En vacaciones de fin de año «superó logros de matemáticas e inglés» y fue promovido a grado séptimo mediante el decreto 0230, teniendo en cuenta que era un deportista que representaba al departamento, la ciudad y el colegio. Durante el 2003 estudió apenas medio año porque después de haber participado en la Copa Pony Fútbol en Medellín, se lo llevaron para el Envigado Fútbol Club. En el Tolimense prenden veladoras para que un día los visite y les hable de su vida a los niños. El rector, el padre Alfonso Bonilla, a quien le gusta más el baloncesto, destaca que en el cuadro de honor del colegio, además de un futbolista internacional, está Augusto Rivera Umaña, químico incluido dentro de los 20 científicos más reconocidos de Colombia.

«El Tuto», de apariencia sólida como el concreto, y «Aristi», flaco y alto, hacen la salvedad de que al menos siete de los once que integraban la titular de la Academia eran tan buenos como James, «lo único es que no tuvimos la estrella de él». Están de acuerdo en que el mayor defecto técnico de su amigo era la lentitud. «Sabía que era su debilidad, y al primer contacto con un oponente buscaba la forma de tirarse para que le pitaran tiro libre —explica "Aristi"—. Los arcos eran grandes, nosotros éramos pequeños y él pateaba muy duro. Cada tiro libre, así fuera desde la mitad de la cancha, era medio gol porque colgaba a todos los arqueros». «El Tuto»: «Era otro Pibe Valderrama; pensaba, la tocaba perfecto y a la hora en que nos ponían a hacer ejercicios de velocidad y reacción nos lo llevábamos. Le daba rabia y como se quedaba nos jalaba de la camiseta».

La velocidad de él era ponérsela a «Cesitar» y a «Aristi», que eran quienes desbordaban cualquier defensa. Con "El Tuto" peleaba porque ya le conocía los amagues y cuando se enfrentaban lo anticipaba hasta desesperarlo. «Algunos se atreven a decir que el equipo era James y diez más. Mentiras. Jugamos las zonales, goleamos y clasificamos a la final nacional del Pony prácticamente sin él, porque se iba a jugar partidos del campeonato nacional con la Selección de Tolima. Tanto que en la final en La Dorada anduvo mal porque lo habían traído desde Pasto durante no sé cuántas horas de viaje luego de que le ganaran allá a la Selección del Valle, que era la potencia nacional. Llegó cansado y entumido, y así lo pusieron a jugar». Sin embargo, «Pipe» opina que jugaron bien: «Sirvió que jugamos la final de noche y ganamos 2-1. Él y yo hicimos gol».

En todo caso, ese episodio pudo ser uno de los más aleccionadores para James. Él y César Núñez fueron las figuras en Pasto después de un tortuoso viaje de 14 horas por tierra. Por primera vez un departamento sin tradición como el Tolima le ganaba al Valle en un zonal infantil 2-1. Allí una noticia los conmocionó: el Atlético Nacional contactó al profe «Yul» para llevarse al goleador César Núñez. Gritaron de la felicidad. Estaban a un paso de hacer realidad el sueño. Que llamaran a César de un equipo grande era un indicador para James: debía jugar aún mejor. Hubo un aliciente: el entonces técnico del Deportivo Pasto, el exjugador profesional de Millonarios y de la selección Colombia Miguel Augusto Prince, era el veedor del evento y dejó constancia de que James fue el mejor jugador que vio.

No hubo tiempo para celebraciones. Como César no podía jugar la Pony por haber nacido en 1990, se fue a Ibagué a concretar su viaje a Medellín mientras James hacía maleta para el juego del día siguiente en el corazón del Magdalena Medio colombiano. Pilar estuvo de acuerdo en hacer el esfuerzo y Juan Carlos Restrepo lo hizo subir solo por primera vez a un avión y, una vez llegó recomendado a Bogotá, él lo llevó en carro hasta La Dorada con tal de que participara en la clasificación al capítulo definitivo en Medellín. Aquella vez comprendió, sin quejarse, lo acelerada e ingrata que puede ser la vida de un futbolista. En octubre de ese año encabezó en Ibagué la semifinal nacional infantil contra Magdalena. Tolima ganó y fue a jugar la final contra Antioquia en Medellín, donde perdieron 2-1. Ser subcampeones era otro paso hacia la cima. En diciembre recobraron el ánimo cuando el Deportes Tolima se coronó campeón del fútbol colombiano y el admirado goleador John Charria convirtió uno de los penaltis definitivos en la final contra el Deportivo Cali.

Claro que para ese momento el máximo ídolo de James ya no era Totti sino el portugués Cristiano Ronaldo, la nueva figura del Manchester United que impactó a James por el talento, la personalidad y el ascenso maratónico que hizo desde el equipo juvenil del Sporting de Lisboa a la plantilla profesional, y de ahí a los «diablos rojos» ingleses, luego de un partido amistoso entre los dos clubes en el que asombró al legendario técnico británico Alex Ferguson. «El Tuto» se ríe al recordar: «A James le dio un día por quitarse la camiseta y mostrar el pecho para celebrar un gol y cuando lo jodimos nos dijo que había que aprender de la fuerza y la potencia de

Cristiano porque iba a ser el mejor del mundo, y así fue». Leía todo sobre él en Internet y decía que si cuando tenía diez años de edad recibió las primeras ofertas de clubes profesionales, ellos podían aspirar a lo mismo después de la Pony. En todo caso, lo de su amigo Charria resultó simbólicamente valioso. Los niños de la Academia hicieron una promesa: si el Tolima pudo ser campeón profesional de Colombia, ellos lo serían a nivel infantil un mes después.

CAPÍTULO

6

LA GRAN COPA

«El trofeo del Pony Fútbol es el tesoro más grande que tenemos en la escuela», deja en claro el profe «Yul» al señalar el pedestal sobre el que descansa en su escritorio. Es una clásica copa plateada y dorada con grandes orejas y una placa conmemorativa de los veinte años del torneo infantil organizado por la Corporación Los Paisitas, el torneo que más jugadores ha aportado al fútbol profesional colombiano. Un sello en relieve habla de «Deporte y sentido social». Simboliza que en enero de 2004 se partió en dos la historia de la Academia Tolimense de Fútbol y la vida de la mayoría de los que participaron en la gran final en Medellín, en cabeza de James Rodríguez. Tanto los factores deportivos como los emocionales se juntaron para el éxito. «Fue definitiva esa experiencia que llevaban de jugar y ganar casi siempre en canchas ajenas, con público en contra, con árbitros en contra.

Aprendieron a manejar toda esa presión muy bien, entonces cuando se juntó lo físico y lo mental, eliminaron equipos muy grandes y empezaron a sentirse grandes».

Viajar desde Ibagué no fue fácil porque las familias no tenían suficiente dinero y, como siempre, hicieron maromas aquí y allá —préstamos, avances, masato, empanadas y tamales— para que los niños pudieran terminar ese ciclo. Una vez instalados en Medellín, fueron a recorrer los alrededores del estadio Atanasio Girardot y de la cancha anexa Marte I, donde iban a jugar. Hoy ese campo no es el mismo de pasto en el que jugaron sino uno sintético en el que las nuevas generaciones de futbolistas hacen fila para entrenar. Es común ver a *pelaos* como Santiago Gutiérrez, de 9 años, con la 10 de la Selección Colombia, quedarse «a entrenar los goles olímpicos de James».

«Fue el capítulo más emocionante de nuestra vida juntos», dice «Pipe» Gómez. «Nos empezaron a meter miedo porque nos tocó en el grupo de la muerte contra Medellín, Envigado y Bello, tres equipos favoritos. A nosotros, los tolimenses, nos miraban como diciendo: "A estos chinitos les ganamos fácil". Nunca habíamos jugado con tanta gente en las tribunas. Todo eso como que nos afectó y comenzamos perdiendo 2-0 con Medellín. Veíamos a ese equipo y nos parecía malo. En el camerino hablamos y salimos con la actitud de ¡No puede ser! ¡Vamos a ganar! Segundo tiempo: en una jugada que armó James me hacen penal, él lo cobra y 2-1. Yo dependía de él por esa visión especial de meter un pasegol como un jugador adulto. Me ponía a correr, yo gambeteaba y ¡gol!, o "hacíamos paredes" y no había defensa que aguantara. Este es el momento en que vamos y jugamos en cualquier lado y nos entendemos a la perfección. Después me queda un rebote y la meto: 2-2. De repente la gente no gritaba "Medellín, Medellín", sino "Academia, Academia". Nos crecimos y mostramos de lo que éramos capaces. En ese partido ya había mucho empresario. Al final uno le dijo al profesor Álvaro Guzmán: "Me interesan esos dos jugadores" y nos señaló a James y a mí. Él le respondió: "Gracias, pero los niños no están a la venta"». Era Gustavo Upegui López, el dueño del Envigado Fútbol Club, reconocido por «el ojo» que tenía para descubrir nuevas estrellas del fútbol en los semilleros de la región y quien ante la negativa del técnico Guzmán, buscó a Juan Carlos Restrepo y le hizo la primera oferta que recibió James para ser profesional.

El padrastro prefirió esperar y dejar que el torneo continuara para no distraer a su hijastro. Ya lo habían contactado también del Independiente Medellín. Casualmente el siguiente enfrentamiento fue contra el equipo de Upegui. «Pipe»: «Yo le decía a James: "Mirá ese combo: Mateo Uribe, Luciano Ospina, Alejo Saldarriaga, Daniel Buitrago". Nos tenían encerrados. James la pedía: "¡Pásemela marica!", y no podíamos salir hasta que pudo meter un pasegol y un amigo de apellido Gil definió. Luego nos empatan y en un contragolpe James me la manda larguísima, me parece verla venir, le gano la carrera a Luciano y hago gol. Queríamos morirnos de la felicidad, el estadio lleno, la cara de empute de esos manes y nosotros abrazados, dando botes y gritando "¡Gol, hijueputa!, ¡Gol, marica!". Ganamos 2-1. Cuando salíamos nos dijeron que la gente de Envigado había decidido contratarnos. Nos mirábamos y en nuestra ingenuidad no terminábamos de creer que un niño fuera a ser comprado. Hasta que el propio Gustavo Upegui nos ve, no señala y nos dice: "Ustedes van a jugar acá". Ya había hablado con Juanca».

Para el siguiente partido había nerviosismo entre los niños y los padres de familia por el rumor de que el Envigado no solo quería a «Pipe» y a James sino a ocho de los once titulares. La consigna era jugar todavía mejor para concretar el futuro de todos. Hubo un momento en que se notaba la presión, pero el que parecía relajado era James, que jugó su mejor partido: hizo tres goles, uno de tiro libre, uno de penalti y otro de media distancia. «Ahí se volvió la figura del Pony y nos contagió esa seguridad. El siguiente partido fue contra Antioquia en octavos de final y metió un golazo desde aquí —para describirlo se para en la mitad de la cancha, costado derecho—. Cuando levantó la cara, yo sabía lo que iba a hacer. Le pegó con una curva rara al estilo Roberto Carlos y entró por el palo contrario. Hasta yo quedé impresionado. A la salida la gente nos felicitaba y nos daba cinco mil, diez mil pesos. A James era al que más le daban: "Buena *pelao,* usted juega muy bien». Los periodistas locales empezaron a perseguirlo y a hablar de él como el jugador más talentoso que habían visto en mucho tiempo. Según «El Tuto», «hasta las niñitas empezaron a buscarlo y James me decía: "Ojalá me quede por aquí para seguir visitando a la bonita de Bello"».

«Pipe»: «Volvimos a cruzarnos con Envigado en cuartos de final. Me acuerdo que le decía a James: "Mono, estoy nervioso, siento cosas en el estómago". Sentía que ese equipo era mejor que nosotros. Me respondía: "Sin miedo, Cabezón. Vamos a dejarlo todo y a ganar". Sabíamos que el que ganara iba para la final. Como ya nos conocíamos, fue un juego muy táctico. Optaron por cortar nuestro juego dándonos duro y metiéndonos miedo. Se gritaban entre ellos: "Péguele al 7 y al 10, que no pasen, así haya que partirlos". Estaba muy cerrado, pero James abrió un espacio, me la mandó, yo desbordé, la centré, un compañero la tocó, dio en un defensa y se metió. Un goce total».

Al revisar los periódicos de Medellín los titulares de una o dos páginas fueron: «Nació para ser futbolista», «La estrella indiscutible», «El héroe tolimense». Guzmán estaba tan contento con el rendimiento de sus pupilos, que antes de la semifinal los invitó a jugar maquinitas para que se relajaran. James no estuvo tan relajado porque quería ganarles a todos. «Mi Dios lo trajo para ser futbolista», declaró Guzmán, y al día siguiente salió un reportaje a doble página con el titular «Nació para ser futbolista», ilustrado con un rostro gigante de perfil en el que James se ve más mono que nunca. Por eso es una de las reseñas preferidas por su familia.

Perfilado como figura de la copa, periodistas de los diarios *El Colombiano*, *El Mundo*, *La Chiva*, *El Deportivo*, y de Todelar le preguntaron de todo, y James habló más de lo que acostumbra hacerlo ahora. ¿Quién le enseñó a jugar? «Juan Carlos Restrepo». ¿Y su mamá? «Me apoya en todo y por eso le dediqué el mejor gol». Ella lloró de la emoción después de ver el primer gran paso de su hijo hacia el estrellato, después de cinco años de esfuerzo y disciplina. ¿Se imagina como un gran goleador? «Dios sabrá cuántos goles quiere que marque». ¿Cómo se define como jugador? «Soy pasegol, no muy veloz y mi fuerte son los tiros libres». ¿Qué significa para usted la Academia Tolimense? «Mucho. Allí empezó todo».

Soltó unas cuantas mentiritas piadosas. ¿Le gusta estudiar? «Sí, señor». ¿Cuál es su materia preferida? «Prefiero el castellano». ¿Por qué? «Porque sí». ¿Qué es más importante, el fútbol o el estudio? «El estudio es más importante que el fútbol». Lo contrario le diría a un profesor meses después. ¿Heredó la calidad de su papá biológico? «Sí. Yo quiero jugar como él, pero también quiero hacer mis cosas solito». Confesó que guardaba recortes de periódico de sus gestas deportivas, pero tenía claras sus prioridades sentimentales y estaba a pocos días de hablar de hombre a hombre con quien le dio la vida. En ese momento veía cercano el sueño de debutar como profesional en su amado Deportes Tolima. Sin embargo, llegaron primero las ofertas de Envigado, Atlético Nacional, Deportivo Independiente Medellín y Júnior.

Superado el equipo más difícil, la semifinal fue contra Urabá, rival más accesible. «Ya teníamos la convicción de que íbamos a la final como fuera y preciso James hizo los dos goles con que ganamos: uno de penalti y otro de media distancia. Un rendimiento así no se le había visto aquí a un infantil». La final fue el 24 de enero contra el Deportivo Cali, contra los jugadores que habían visto entrenar durante el viaje a su sede y a los cuales habían envidiado por tener lo que ellos ni soñaban en los peladeros de Ibagué. «Cuando salimos ellos se veían más cuajados, más jugadores. Estaban "El Manga" Escobar, Juan David Cabezas, Castillo, Lizarazo, *pelaos* muy buenos que ahora son profesionales. Nosotros sabíamos lo que teníamos, nos mirábamos y nos dábamos ánimo. Cuando James cobró el primer tiro de esquina vi que no estaba centrando, estaba buscando el arco. Era una cuestión de él. Algo que no estaba planeado. Al segundo intento un defensa se enredó con el balón y ayudó a meterla, gol olímpico y a celebrar lo que veíamos venir. James siguió en la misma, como si supiera que con esa jugada los iba a desestabilizar otra vez. Cantado. Les clavó el segundo también olímpico. Ese sí entró derecho. Acabamos ese partido y la gente estaba obsesionada con James. Era una cosa loca. Pilar, Juanca, las familias detrás de él saltando y los periodistas haciéndole notas. Él les decía: "Yo quiero jugar en el Tolima", no le sonaba Envigado. Yo pensaba: Este marica en todo torneo es el mejor, ¿qué tengo que hacer para estar a ese nivel? Sentimientos de rivalidad sana. En medio de una lluvia de papelitos de colores nos dieron los trofeos, medallas, balones y toda la Pony Malta que usted quiera. Todavía nos gusta la Pony y siempre que tomamos una recordamos esos momentos». James dice emocionado en su DVD: «Fue una etapa bella porque pude mostrar todo mi talento».

Hay recortes de los avisos de prensa de Pony Malta en los que lo presentan como «un pequeño gigante», levantando el máximo trofeo en medio de la lluvia de confeti, chiflando de la felicidad, así como fotos de él en medio de los dirigentes políticos regionales que le entregaron los premios, Sergio Fajardo y Aníbal Gaviria, testigos atónitos de la hazaña del «chiquitín», y videos de los tolimenses dando la vuelta olímpica mientras el arquero del Cali, Johan Wallens, llora y grita «yo soy el culpable». No. El culpable fue el monito de 13 años que explotó en ese torneo y mostró todo el potencial. Es impactante ver la grabación de Teleantioquia: James dando declaraciones a Todelar Radio con los brazos en jarra, con una autoridad de profesional: «Esto es una alegría inmensa y hay que seguir trabajando». Se formó un tumulto de aficionados y periodistas en torno a él, la mayoría preguntándole qué sentía al recibir todos los trofeos, incluidos los de mejor jugador y goleador. «Me siento privilegiado. Soy trabajador y honesto, y quiero ganar todas las competiciones. Me gusta el gol y también disfruto dando pases para que mis compañeros puedan convertir».

Si lo de Medellín fue apoteósico, el recibimiento en Ibagué fue delirante. Los subieron a un camión de bomberos, recorrieron la ciudad y les ofrecieron todos los reconocimientos cívicos y deportivos en la gobernación del Tolima. «En esa saltadera James dejó caer la copa contra mi nariz y me la rajó.

—Mirá, «Mono» marica, cómo me dejaste la nariz.

—«Pipe», «Pipe», perdóneme, perdóneme.

Se señala la cicatriz en la nariz y dice: «Los recuerdos de James».

En Ibagué le atribuyeron el campeonato no solo al equipo sino «al alma bendita de Damián Borja, el máximo goleador de todos los tiempos en la Academia, más que James, asesinado a finales del 2003 cuando era la estrella juvenil con más futuro en la Selección de Tolima. Tenía 17 años y lo balearon tras oponer resistencia a los ladrones que le robaron a su madre ocho millones de pesos».

Envigado seguía detrás de otros jugadores de la Academia. A «El Tuto» también lo contactaron: «Upegui tenía mucha plata y quería comprarnos a la mayoría. Me llamó a Ibagué a preguntarme si estaba interesado, le dije que sí, habló con mis papás. Ofreció un sueldo de 500 000 pesos mensuales y estudio. Alcancé a soñar, pero mi mamá no me dejó porque me tocaba irme a vivir solo. Los 38 millones que dieron por "Pipe" también los iban a dar por mí. Por James era el doble».

Pilar y Juan Carlos pusieron las condiciones: los derechos deportivos de James se venden en un 70%, y el 30% es para el jugador, no se incorporará a ningún club solo, sino con un arreglo que incluya a su familia, incluida vivienda y trabajo para Juan Carlos. Cuando analizaron en limpio las opciones, la más atractiva era la del Medellín, a través del gerente Fernando Jiménez Vásquez, en asocio con el Envigado, a través de Upegui. Financiarían todo por mitades. Luego estaba la del Nacional. Con más timidez terciaron Fuad Char, dueño del Júnior, y Gabriel Camargo, del Tolima. Para ganar el pulso, Nacional incluso le ofreció trabajo al padrastro como ingeniero de sistemas en Postobón, pero ya era demasiado tarde. Los Rubio Restrepo habían empeñado su palabra con los primeros y Juan Carlos sería Director de Tecnología de la Universidad de Envigado.

Todo parecía funcionar a la perfección hasta el año siguiente (2005), cuando llegó la hora de pagar el 35% de cada equipo. Upegui cumplió y Medellín decidió retirar la inversión porque consideró que el talento del muchacho no era garantía de éxito. En esas negociaciones a Jiménez le dijeron una frase, una sentencia, por la que todavía se lamenta de no prestarle atención: «Está cometiendo un error porque habrá un antes y después de James Rodríguez en el fútbol colombiano».

CAPÍTULO

7

NO ES TAN FÁCIL VIVIR DEL FÚTBOL

Para reconstruir el comienzo de la vida profesional de James Rodríguez hay que recorrer el municipio de Envigado, anexo a Medellín, y detenerse en la cancha de fútbol de El Dorado, el teatro de los sueños de miles de niños que aspiran a ganarse la vida y a cambiársela a sus familias con el fútbol. Como la Marte, ya no es el campo de arena en que se formó James. Es sintética y en la entrada se agradece a «don Juan Pablo Upegui» por invertir en el escenario deportivo, no solo usado por todas las categorías del Envigado Fútbol Club sino por centenares de vecinos que practican atletismo o hacen caminata en la pista atlética.

«Pipe» Gómez mira el campo con cierta nostalgia y señala el muro de la llamada «Cantera de héroes», donde se ven en acción las máximas figuras formadas aquí: Fredy Guarín,

Dorlan Pabón, Giovanni Moreno, Mauricio Molina y, claro, James. «Aquí vivimos partidos que yo creo que él tampoco olvida».

No fue fácil para dos niños llegar de una ciudad pequeña y sencilla como Ibagué a una grande y compleja como Medellín: «La vimos muy grande, asustaba llegar aquí sin conocer a nadie, con una ilusión, y encontrarnos con tantos *pelaos* aspirando a lo mismo. Había negros grandísimos y fuertes del Chocó, de Urabá, de Cali, y nosotros ranas plataneras con una talla de apenas 1,50». Mientras las familias de los dos se trasteaban del todo para acompañarlos en la mayor apuesta de sus vidas, «Pipe» y James coincidieron con otros prospectos en la sede de la tienda Margo's (por Margarita Zulay Gallego, esposa de Gustavo Upegui), la fábrica de los uniformes naranja y verde del Envigado. Esta etapa significó para ellos «una lección de tolerancia», no solo por la convivencia con seres humanos de otro color de piel, sino de cultura totalmente diferente a la del Tolima. La mayoría era de la costa del Pacífico, con historias dramáticas de pobreza absoluta. «Oír las historias de vida de esa gente nos fortalecía, porque comparados con ellos éramos privilegiados y nos quedó claro que había que aprovechar la oportunidad». Para Envigado, «los tolimenses» eran prioridad y pronto le consiguió trabajo a Juan Carlos Restrepo como jefe de la división de informática de la universidad local y le ayudó a la mamá de «Pipe» a montar un restaurante. Pilar, Juan Carlos, James y su hermanita Juana

Valentina se llevaron incluso a su perro *Simón.* Ellos llegaron en avión y las cosas en un camión de Trasteos Rojas. El apartamento donde vivieron los Rubio Restrepo queda en la 40 con 40 F Sur, en un segundo piso, unas pocas cuadras arriba de la cancha de El Dorado.

Fueron días difíciles. Para Pilar no era fácil volver a Envigado, donde vivió con el papá biológico de James, donde le apostó por primera vez a conformar una familia en torno al mundo del fútbol. Al estrés de la adaptación a una ciudad extraña y de James a un equipo donde la competencia era intensa, se sumó la desaparición del pastor collie. Un día llegó de entrenar y encontró a la familia buscándolo con desesperación. En un paseo cotidiano se perdió o se lo robaron. Todos ayudaron a buscarlo calle por calle del empinado barrio, parque por parque, casa por casa y nadie les dio razón. Colgaron letreros con su fotografía y nunca apareció. Hubo luto familiar antes de que superaran ese trauma y volvieran a tener mascota, un hiperactivo beagle que irrumpe en el DVD promocional que James grabó a los 16 años. Lo bautizaron Beethoven, más por la serie de películas estadounidenses sobre un perro travieso que por el músico alemán. «Era un terremoto, le dañaba los zapatos a Pilar, se le comía los guayos a James, les tocaba encerrarlo». La música que sonaba con más fuerza en esa casa era el reguetón y la salsa, por la que empezó a interesarse James, contagiado por los «parceros» del equipo y por Juan Carlos.

Otro proceso traumático fue adaptarse al colegio que les consiguió el Envigado, a cinco minutos en carro del centro de entrenamiento. Es de la Arquidiócesis regional y se llama Liceo Francisco Restrepo Molina. Desde el Mundial de Brasil 2014, junto al «cuadro de honor» de los mejores estudiantes que se exhibe a la entrada, hay una cartelera con la foto de James con el uniforme del colegio y al lado una celebrando un gol y mostrando el escudo de la Selección nacional y el letrero «Siempre con la camiseta puesta». Encima, en la puerta de acceso, están las imágenes del papa Francisco, hincha del fútbol y del club argentino San Lorenzo de Almagro, y del obispo local. Por el portón que da a la calle se filtran los rayos del sol de la tarde, intensificados por los vitrales amarillos. El aire de convento se disipa cuando termina la jornada y empieza el desfile de niños y niñas con la camiseta número 10 de Colombia. Otros lucen la del Mónaco y varios la cresta engominada, el peinado al estilo James. Se paran frente a la cartelera a hablar de fútbol.

El rector, Juan de Dios Arrieta, destaca que el colegio nació hace 54 años «como una respuesta a la violencia que se vivía en esta zona». Los registros de James y «Pipe» son del 2004 y el 2005, cuando cursaban los grados octavo y noveno. Era común recibir estudiantes recomendados por el Envigado, aunque no con mucha alegría, porque «tenían perfil de indisciplinados y les buscaban la solución aquí en el plano académico». Por eso la primera decisión fue separarlos «para que no produjeran un corto circuito». A Arrieta le preocupaba que el club les exigía demasiado: «Entrenaban de seis a ocho de la mañana, llegaban tarde y pedían salir a entrenar de nuevo a las dos. El estudio no era lo que les interesaba, venían porque les tocaba, pero toda su mente estaba enfocada era en el deporte.

Los salones quedaban pegados y se secreteaban por una ventana:

—James, ¿qué está haciendo?

—Nada. Esta clase está muy aburridora. ¡Vámonos!

—No, marica, aquí no podemos volarnos.

—«Pipe», me quiero ir de acá.

No es que uno sea bruto. Lo que pasaba era que ni nos llamaba la atención el estudio. A James menos.

—Présteme la tarea, marica, que me van a regañar.

—Yo tampoco la he hecho.

No nos pegábamos de los libros porque lo que nos gustaba era el fútbol. Nos pedían que estudiáramos, pero llegábamos cansados y, además, toda la parte emocional y sicológica que nos inculcaban en el club era que nos concentráramos únicamente en cada partido, y así lo hacíamos».

No aparecen reportes de indisciplina de James, sí de «Pipe». Él se defiende: «Es que James era muy "burletero", hasta ser fastidioso, me hacía pasar unas y siempre me pillaban. Yo era el que salía regañado, él se quedaba con su carita de santico y encima tenía que prestarle la tarea».

La buena memoria que le reconocen a James la ponía al servicio de lo que le convenía: estadísticas de fútbol, jugadas de fútbol, declaraciones de jugadores y técnicos profesionales, la última versión del Play Station, los cantos de las barras. «Había empezado con la fiebre de aprenderse los cantos de las barras porque se oyen de fondo en el Play. Es más hincha de Nacional, pero en el 2003, cuando el Independiente Medellín jugó la Copa Libertadores y llegó a la semifinal, se aprendió todas y se la pasaba cantándomelas hasta que me desesperaba:

> Vos sos mi vida, Vos sos mi alegría
> Vos sos lo más grande que tiene mi vida
> Dale hoooo, dale hooooo, dale rojo, dale Hooo.

Estaba en el baño y empezaba a corear. Yo le pedía que no jodiera más con eso y seguía pegándole:

> Vamos, Poderoso, que tenemos que ganar.
> Hoy toda esta hinchada es una fiesta
> popular, si somos primeros cantaré
> hasta reventar, si somos coleros no te
> voy a abandonar.

Me lo tuve que aguantar en los partidos contra Boca, contra Gremio y en la semifinal contra Santos. Y también se aprendió los coros de esos equipos. Después, estando en Envigado, empezó con el "¡Hala Madrid! ¡Hala Madrid!". Para un deportista la siesta es importante. Le pedía que me dejara dormir y cantaba más duro». Es que James es intenso en sus gustos. A la hora de comer también es bastante predecible y Pilar, su madre, lo complacía: guisado de pollo, arroz con pollo, espaguetis con pollo.

En ese colegio aparecieron dos amigos más en la última fila del salón de James, Jorge Pineda Jiménez «El Buti», «un gordito buena gente», que empezó a andar con él y reían tanto que los profesores los llamaban al orden, y Felipe Alzate, otro compañero de pupitre, que dejó boquiabierto a James cuando este lo vio jugar fútbol en un recreo. Era dos años mayor, jugaba en las inferiores del Medellín y James no paraba de preguntarle cosas sobre los entrenamientos. De inmediato organizó un equipo para el campeonato interclases y, para variar, fueron campeones, pues le ganaron al otro octavo donde estaba «Pipe». «Se burlaban. Decían: "Es que el equipo del Cabezón es muy malo". Y no paraban de reír. Ya en el equipo con el que jugábamos intercolegiados estábamos todos pero no nos matábamos tanto porque en el Envigado nos hacían la advertencia de cuidarnos de lesiones por andar jugando recochas. Alzate jugaba muy bien, era grande, amarraba mucho el balón y nos defendía en la cancha y en las peleas que se armaban en los partidos». Cuando les quedaba tiempo libre no iban a la iglesia de la vecina parroquia de Santa Gertrudis. El programa era ir a jugar microfútbol en la cancha La Bombonera, en Sabaneta, o en la del barrio La Merced. «También jugábamos mucho "cucapata", que es que si te dejas hacer un túnel con el balón, todos los jugadores te bolean más patadas que un hijuemadre».

David Salazar, profesor de matemáticas, recuerda mucho a James porque no cumplía con sus deberes, hasta el punto de que debió citar a Pilar, su madre, para obligarlo a tomar en serio la clase. No era como David Arenas, un niño de ese colegio y de la misma época, tan brillante para los números que a los 13 años era maestro internacional de ajedrez. «Era claro que no quería saber nada de factorización. Lo veía ido. Me tocada decirle: "Quihubo pues papito, despierte". No decía nada. Agachaba la cabeza. Frente a la mamá le di el ultimátum:

—James. ¿Va a hacer las tareas?

—Sí, señor.

—Mire a su mamá, piense en ella. ¿Va a estudiar con juicio?

—Sí, señor.

—Acuérdese de que tiene que educarse porque usted es el hombre de la casa. ¿O es que piensa vivir del fútbol?

—Sí, señor. Amo el fútbol y voy a vivir del fútbol».

Hoy el profesor se ríe de que el alumno le haya ganado el reto, interesándose más por Cristiano Ronaldo que por el álgebra de Baldor. «Me calló la boca y hace poco me mandó saludos con los amigos».

La actitud infantil empezó a moderarse por fuerza de la presión creciente dentro del Envigado. «En los primeros partidos que jugamos de la Liga de Antioquia ratificamos nuestro talento y que éramos complementarios. Aquí jugamos muchos partidos a muerte contra Nacional, Medellín y la tienda Margo's, que era el segundo equipo de Envigado. Y siempre James anotaba un gol, ponía un pasegol. Me acuerdo de un golazo que le hizo a Nacional aquí, desde mitad de cancha, y se la metió "de pica barra" al arquero. Ganamos 5-2. El problema después era mantenerse y ser constante en el rendimiento para que nos llamaran a la profesional. Fue duro. Nos ponían 15 minutos contra "subveintes" ya profesionales, como Dorlan y Giovanni, para ver si dábamos la talla. Nos sentábamos y sentíamos la diferencia: ya no jugábamos por divertirnos, por el *bolis* y el *raspao*, sino con la ansiedad de que no nos quedara grande el paso definitivo. Debíamos pensar como grandes aunque apenas entrábamos a la adolescencia».

En ese momento Pilar y Juan Carlos, con James a la mesa, diseñaron el proyecto definitivo rumbo al profesionalismo. Ella se dedicaría con mayor intensidad al proceso logístico de un futbolista, desde los papeleos hasta los guayos y los uniformes. Aplicaron el mismo modelo que les dio los primeros resultados en Ibagué. Aparte de los exigentes entrenamientos con la sub-14 de Envigado, a primera hora de la mañana, contrataron al técnico del mismo club, Omar «El Misio» Suárez, para que le diera clases privadas después de salir del colegio en la tarde. ¿Por qué Suárez? Porque entre los preparadores de esa región fue al que le notaron mayor afinidad con el juego de James. Fue jugador profesional del Once Caldas, el Cali, el Santa Fe, el Nacional, el Envigado, el Pasto y el

Tolima. Zurdo y disciplinado, es uno de los responsables de la formación de 1600 niños del Envigado, a los que les enseña a partir del proceso que vivió con James.

«Fui el primer técnico que James tuvo aquí en la sub-13. Llegó a la cancha del Polideportivo y noté que era un talentoso, que más que en condiciones técnicas estaba mejor preparado mentalmente. Era el que más sobresalía, el que hacía cosas diferentes como meter túneles y, además, era el que unía al grupo. En los entrenamientos los amigos se peleaban para que quedara en el equipo de ellos. En el club le repasé toda la fundamentación y luego el señor Juan y la mamá me pidieron que le hiciera un trabajo aparte para que utilizara mejor la pierna derecha, el cabezazo y el cambio de ritmo. "Yo quiero que usted me ayude a mejorar, 'Misio'"», me pidió él mismo. La primera clase nos sentamos cada uno en un balón y, con base en mis 16 años de profesional, le advertí crudamente lo que se iba a encontrar en el fútbol profesional a nivel de técnicos, futbolistas, presiones, mañas, envidias, patadas. Era muy tímido. Me oía con atención y humildad, y le pedí que nunca cambiara esa actitud. A mediodía veníamos a esta cancha (El Dorado) con diez balones, le pagábamos algo a un arquero y le dábamos hasta mejorar en cada aspecto. Los papás siempre estaban atentos a lo que necesitáramos, desde hidratación hasta pararse frente al balón para simular una barrera. Era el que llegaba más temprano y tenía total disposición con sol o lluvia, sin quejarse del cansancio ni de nada. Aparte de entrenar con la profesional y conmigo era capaz de venir solo a seguir practicando en la tarde».

Hubo otros testigos de la evolución. Uno de ellos se llama Carlos Darío Bermúdez, de 71 años, ojos verdes y vestido de naranja de pies a cabeza. Desde hace un cuarto de siglo todos los niños que llegan a entrenar se detienen a saludarlo con respeto y le dicen «Káiser», como a Beckenbauer. Fue un delantero frustrado: «Cuando yo era joven no había continuidad ni se creía en el futbolista nacional, preferían traer montones de argentinos buenos y malos, y sentarlo a uno. Ahora es distinto y por eso aparecen los James». Él les repasa lo que los profesores como Suárez les enseñan. Habla mientras les lanza balones con la mano para que salten sobre unos conos, la paren de pecho, hagan 21 y se la devuelvan: «Yo soy buscatalentos. Pienso que el jugador nace y también tiene que hacerse paso a paso. James tiene una estrella muy fuerte pero, por ejemplo, la derecha solo le servía para subirse al bus y "El Misio" se la cuadró».

El primer año en el Envigado no terminó como se esperaba. El equipo rindió a tope con la dupla James-«Pipe» hasta la final de la Liga Antioqueña, cuando perdieron con el equipo B del Envigado de la misma categoría, Margo's. Deportivamente hablando fue una humillación porque equivalía a la suplencia. Suárez dice que fue el peor partido del equipo y de James. «Ninguno estaba concentrado, se contagiaron de impotencia y él empezó a jugar con rabia, tanta que por primera vez lo vi dedicado a gritar a todos los compañeros y me tocó llamarlo a la calma. Este muchacho siente demasiado el fútbol, pensaba». Una fotografía del grupo, deprimido, con la medalla de subcampeones y el mono James con cara de indignado, obligado a pararse allí como un lapidado, quedó de recuerdo, aparte del discurso que les dio «El Misio» para que aprendieran la lección.

«Pipe» goza: «Me divierto recordándole ese día a James y todavía se molesta. Estaba loco por el desespero de que jugáramos bien más la presión de que "El Misio" quería consolidarlo como el líder. Nunca lo había visto así, tanto que se hizo expulsar en esa final porque le metió una plancha a un *man* y ya tenía amarilla por protestar. No se me olvida la cara del técnico cuando acabó el partido. Le dije a James: "Ay, marica, abrámonos de aquí". Pero nos agarró y la vaciada fue tenaz. La verdad es que llegamos crecidos creyendo que la teníamos fácil y Margo's nos la cobró. Cuando pasan cosas así, James dura días sin hablar, y si uno le toca el tema, cambia la papeleta. Después dijo que había aprendido a no perder nunca más la paciencia, a que la única forma de estar calmado es con el balón en los pies, pensando antes de pasarla».

La revancha fue en el campeonato del 2004. «Sentí que avanzamos mucho en mentalidad. Íbamos perdiendo en esta cancha 2-0 y, como el año anterior, él en vez de tener el balón y construir el juego, empezó a tirar pelotazos. Yo le gritaba: "James: ¿ese es el trabajo que hemos hecho? Bájela al piso".

Asumió la crisis, se echó el equipo al hombro y empezó la remontada con un golazo muy parecido al que le hizo a Uruguay en el Mundial de Brasil, también "de picabarra" desde el borde del área. Ganamos 4-2. Desde entonces los técnicos de categorías mayores me llamaban: "Profe, présteme a James", porque tenía clarito cómo actuar para ser un profesional de verdad, un grande. Ahora, cuando doy las charlas, les detallo a los niños lo que pueden aprender de él. Durante el Mundial analizábamos cada partido y luego lo llevábamos a la práctica».

En Antioquia hay más de 3000 equipos de fútbol registrados. Todos los niños quieren ser James. Unos pocos serán estrellas. Me señalan a Yadir Meneses, un volante que llegó desde la vereda Juancojo de Girardota, a Déimer Flórez, un delantero, a Andrés Tabares que ya se probó en el Milán de Italia. Todos hablan de Iván Angulo, el goleador sub 15, nacido en Tumaco, Costa Pacífica colombiana. Manuel «El Chino» Quintero, fotógrafo del Envigado, me lo muestra haciendo un gol de chilena. «Vino a jugar la Pony y se quedó. Con la ayuda de Dios será un *crack* como James». Nadie tiene más fotos de James jugando que él. Llega el papá de Fredy Guarín con un niñito recomendado de Puerto Boyacá. «El Guaro» es otro de los grandes amigos de James y lo sería más en su capítulo europeo. Antes sucederían muchas cosas.

Pensando en el factor anímico de James y en la amistad que habían construido con César Núñez, Pilar y Juan Carlos invitaron a «Chorolo» a vivir de nuevo con ellos, como ya había sucedido con Juan Fernando Quintero. Núñez estaba en una casa-hogar del Nacional y andaba deprimido porque no lo ponían a jugar. Recuperaron la niñez refundida entre tanta competición: volvieron a jugar con un baloncito Adidas frente al edificio. «Poníamos las mejores jugadas de Cristiano Ronaldo, de Messi y de Iniesta en Youtube y nos salíamos a la calle a practicarlas. James es callado y yo también. No hablábamos mucho de esos días malos en los que parecía que no nos iba a ir bien. Siempre nos manteníamos divirtiéndonos, tanto que Pilar nos decía que nos metiéramos al computador a leer, no solo a jugar. Con su temperamento, Juan Carlos nos regañaba y nos daba libros de superación. James leía más que yo».

Salían de programa familiar. Les encantaba ir al Parque Metropolitano de las Aguas a vivir la adrenalina de los toboganes de máxima velocidad, los de revolcón y los de hidrotubos. El resto del tiempo libre lo utilizaban para bajar a la cancha de El Dorado o al Polideportivo a ver jugar a los demás equipos de la Liga de Antioquia, desde la profesional hasta las infantiles.

CAPÍTULO

8

UN MESSI A LA COLOMBIANA

El refinamiento de James como futbolista de alto nivel no hubiera dado los mismos resultados si al aspecto técnico el Envigado y la familia no le hubieran sumado un equipo de especialistas. Cuando «El Misio» terminaba de probarlo por izquierda, por derecha, por el centro, era el turno de Héctor Chica, el preparador físico particular. Su objetivo: que el niño desarrollara extremidades y musculatura de juvenil porque estaba en desventaja física a la hora de ir a chocar por un balón dividido o utilizar el cuerpo defensiva u ofensivamente.

El trabajo más complejo le tocó al médico y nutricionista Luis Emilio Lara, encargado de estimularle el crecimiento con base en un tratamiento hormonal similar al que utilizaron en el Barcelona cuando Lionel Messi era un niño. Había que encontrar un punto de equilibrio entre medicina, gimnasio y alimentación. La detallada historia médica [elaborada por] Lara fue incluida en el primer DVD que Juan Carlos Restrepo empezó a usar para promocionar a su hijastro. Al comienzo el diagnóstico no era tan optimista porque, genéticamente hablando, James es hijo de padre y madre promedio. En febrero del 2001, a los diez años y medio, pesaba 33 kilos y medía 1,37 metros de estatura. En diciembre de ese año subió dos kilos y midió 2,5 centímetros más. Lo lógico era que no creciera más allá de 1,70 metros. Aun así, el tratamiento y el seguimiento intensivo entre los 13 y los 18 años lo hizo llegar a los 1,80.

«El Misio» Suárez lo confirma: «El Envigado le colaboraba con las vitaminas para el crecimiento y empezamos a ver el surgimiento de un atleta». Quien mejor siguió ese proceso fue el preparador físico del Envigado, Juan Carlos Grisales Zapata, con 30 años de experiencia, exjugador, exempresario de futbolistas y hoy con 51 años de edad. «La droga para el crecimiento fue fundamental. Trabajó con endocrinólogo, le colocaron hormonas y le hacían seguimiento por carpograma. Eso lo pagó el Envigado. Gustavo Upegui se le anotó a eso porque una vez vino un portugués llamado Luis de Oliveira, ahora directivo del Porto, y le dijo que James era un elegido. A esa convicción se le sumó el trabajo de todos nosotros, que lo guiamos, la intensidad de los padres que se paraban aquí a gritarle: "Corré, corré" y la decisión del dueño del equipo de atreverse a ponerlo». ¿Qué hacía él para que lo médico redundara en lo corporal? Lo llama «querer, saber y poder».

Que él quiera, que sepa en lo técnico y táctico, y que pueda desarrollarlo a nivel físico. Y James respondía. «Empezó a desarrollar mayor potencia y fuerza para ponerla al servicio de la técnica, sin descuidar la dinámica que era su falencia. Donde más le exigía era en los "rondos" (juegos) de seis contra dos, jalar "terabanes" (*thera bands*, bandas plásticas usadas también en el béisbol), arrastrar lastres. Y lo premiaba: se puso feliz el día que le regalé un video de Ronaldinho. Luego lo agarraban el kinesiólogo, el fisioterapeuta y el psicólogo del club. Lo trataban como a un profesional. Hasta masajes le hacían en la casa. Llevar un muchacho así a la élite del fútbol es el encadenamiento de muchas cosas». Grisales guarda los índices de pliometría que muestran la mejoría de James en reacción y coordinación. «Lo demás era los *plus* de él: talento, personalidad, seriedad, liderazgo, compromiso». A un tratamiento similar paralelo era sometido su amigo Juan Fernando Quintero, la otra apuesta envigadeña.

En la tribuna del estadio El Dorado se oían críticas y burlas contra Juan Carlos Restrepo y Pilar Rubio por su obsesión. «Están agobiando a ese niño», decían. Hubo días de llanto y desesperación: «No quiero ver que maltraten a James. Regresémonos a Ibagué», llegó a pedir la madre. «Este proyecto sigue. No nos demos por vencidos, que vamos por el camino correcto», insistió el padrastro. Para escapar de ese ambiente a veces hostil, cada vez que podían regresaban unos días a Ibagué. James regresaba a sus orígenes sin que la presión de

«Juanca» cediera. «El Tuto» cuenta que la disciplina que le infundía era tal, que «en un diciembre vino a entrenar con nosotros a El Jordán. En el equipo contrario estaba jugando un niño al que le decíamos "Piggy", el nerdito del grupo. Ese día marcó perfecto a James y no lo dejó hacer nada. La vaciada del padrastro fue tenaz: "¡Despierte!, un chinito güevón que ni siquiera juega no puede borrarlo si usted quiere vivir de esto". Y James se dejaba llevar. Otro hubiera podido decir: ¡No más, no más!». Juan Carlos era la disciplina y Pilar la ternura, y esa mezcla hizo de James un profesional, un muchacho de principios y valores que los enorgullece. «El destino del artista es sufrir el anonimato y el ridículo hasta el día en que se revelen sus verdaderos poderes y quienes se burlan y se mofan de él tengan que callarse», escribió J. M. Coetzee en *Juventud*.

CAPÍTULO

9

JAMES PADRE SE CONFIESA

«Soy Wilson James Rodríguez Bedoya. Nací el 16 de agosto de 1965 en Pijao, Quindío, pero mi mamá cumplió la dieta y por cosas de este país se vino pa' Medellín. Aquí todo mundo me conoce como "Cachetes". El fútbol nace con uno; desde *pelao* no hacía más sino jugar microfútbol en interbarrios, interclases, intercolegiados. Igual que mi hermano Arley, que era mejor jugador que yo, y también salió del Envigado pero lo mataron. A los 19 años jugaba con el Medellín, la Selección Colombia juvenil y se lo iban a llevar a Millonarios, pero el 10 de julio de 1995, antecitos del cumpleaños de James, se fue con unos muchachos a darle una vuelta a una moto nueva y los mataron a balazos. El más pequeño de la casa soy yo. Arley medía 1,81. El fútbol de nuestra época era muy distinto: el futbolista se mantenía jugando en la calle, era de la barriada y uno se acostaba tarde por esa afición. Lo mío fue rápido como lo de James, el hijo mío. Hacía el bachillerato en el Marco Fidel Suárez y me vio jugando el profesor Luis Alfonso Marroquín. Él me recomendó para la Liga de Antioquia, de ahí pasé a la Selección departamental dos años y a la Selección Colombia juvenil. Cualquier fecha se le olvida a uno menos el día del debut, el sueño de todo el mundo: 24 de marzo de 1985 con el Deportes Tolima frente al Deportes Quindío. ¡Y ganamos! Yo jugaba de volante mixto o volante 10. Me caracterizaba por la potencia en la pegada, sobre todo con el empeine. Después de los entrenamientos me quedaba trabajando tiros libres y media distancia. En el Tolima fue donde más jugué, también en el Cúcuta, el Cali y aquí en Envigado terminé como profesional. Después me fui a varios equipos de la B: Fiorentina, Bello Fútbol Club, Alianza Llanos. Por hacerle el favor a un amigo, me radiqué en Villavicencio y jugué en la primera C, en Las Palmas Fútbol Club y Villavicencio Fútbol Club. Dos años seguidos fuimos subcampeones. Eso fue lo último. ¿Que si me faltó disciplina? En el factor personal nadie debe meterse. En total jugué 18 años hasta cuando cumplí 35 y el físico no daba para más. Me di el lujo y el orgullo de ser titular siempre. Participé en los juegos Odesur, en Chile, con el profe Jorge Luis Bernal y quedamos campeones. Con él tertuliamos para aprender de la vida. Pero en esos años 80 lo mejor fue hacer parte de la generación del profe Marroquín. Ahí el fútbol colombiano empezó a cambiar, ahí empezamos el camino por el que han pasado todos los demás, desde "El Pibe" hasta James. Jugué con René Higuita, John Edison Castaño, José Edison Álvarez, Jairo Ampudia, Núñez, Córdoba, Pepe Romero, Felipe Pérez, Carlos Álvarez, John Jairo Tréllez. Con casi todos me hablo todavía. No ganamos el Suramericano de 1985, pero clasificamos a Rusia y marcamos historia. Ese Mundial juvenil de Rusia fue lo máximo. Nos tocó duro. En el primer partido fue con Bulgaria y quedamos 1-1, después íbamos perdiendo 0-2 con Hungría, descontamos y en una jugada ya para acabarse el partido Pepe Romero me la tiró frente a la bomba central, picó, le pegué perfecto y la metí "de pica barra". Eso es lo máximo que me ha pasado en la vida. No sé cómo describirlo. Algunos lo comparan con el de James en el Mundial de Brasil. Después con Túnez empatamos y clasificamos por moneda, y Rusia nos eliminó por goleada. Por eso lo de James es una belleza. Uno se alegra más cuando ve a los hijos triunfando. Lloré y grité viéndolo con mi esposa, con mi hija, aquí en La Magnolia. Con el hijo habíamos vuelto a hablar desde que yo volví al Envigado, en parte por él y porque estaba don Gustavo Upegui y me marcó la pauta. Me dijo: "Trabaje conmigo y con el hijo suyo". Yo había jugado para el equipo profesional en 1994, me conocía, y ahora me quería como asistente técnico de las inferiores. "Véngase para acá que ustedes me van a hacer ganar plata con esa firma", decía entre risas. No le podía decir que no, más sabiendo la gallada de grandes jugadores que han salido de aquí. Fue la oportunidad de reencontrarme con James. Sentí una alegría inmensa de volver a verlo. Al comienzo venía a la cancha de El Dorado. Me sentaba aquí en la tribuna, me quedaba viéndolo y me sentía muy orgulloso. A él le gustaba que "El Misio" lo trabajara, entonces yo me quedaba lejitos, callado. Nos hacíamos señas. Le quería decir haga esto o lo otro, pero la prioridad era de "El Misio", de su mamá y de su padrastro, y uno tiene que respetar eso. Ya con el tiempo tuvimos un reencuentro amistoso. Lo que pasa es que la gente inventa demasiado. Fui a su casa a visitarlo como cualquier padre. Hablamos en familia de lo personal. Las cosas que pasaron son del pasado. ¡Ah!, que vos fuiste aquello. Mire: es que cuando uno está joven no piensa en el futuro. La gente no entiende, quiere meterse más en lo personal que en lo deportivo. Yo les digo: miren primero a la persona. Uno sabe que cometió errores como todo el mundo, pero uno no es de los que se pone a decir: yo hice esto y esto, con pelos y señales, o qué dejé de hacer. ¡No, señor! Yo no tengo por qué pedir disculpas. Por qué si la gente no me da de comer. Si la vida fuera perfecta todos estuviéramos en el paraíso. Siempre he cumplido un lema: no me gusta criticar a la gente en su vida privada ni que me critiquen. Ya entre amigos se dicen las cosas porque todavía uno comete errores, aunque con la madurez y con más hijos uno trata de hacer las cosas lo mejor posible. James lo entendió y ahora tiene sus detalles: me regaló la camiseta del Mónaco, la blanca; la de la selección en eliminatorias, un par de sudaderas. No soy de los que las luce en la calle. Ni me las pongo para el campeonato de veteranos que juego en Belén Rincón, donde me encuentro con exprofesionales como "Pelusa" Pérez, "Pelusa Orrego", Hugo Tuberquia, Rubén Bedoya, "El Misio" Suárez, Jorge Agudelo, Piña Álvarez. Las tengo colgadas en la casa. Eso es mío, de mi hijo, cosas exclusivas firmadas por él "para mi papá con cariño". Así de sencillo. Plata de él no me interesa, me interesa es que le vaya bien. Ahora me llama y está pendiente de ayudar a su hermanita Danna Rodríguez. Tiene 12 añitos, es patinadora y hace parte de la Selección Colombia por el Club de Patinaje de Envigado, el PAEN. Ya se fracturó un brazo pero va muy bien, es buena para el fondo. Ella dice: "Yo quiero salir adelante como mi hermano". Y él le da ánimo, consejos y lo que necesite. El patinaje es duro porque le toca a uno. Pero hay que sacrificarse por los hijos. Vivo también con mi señora Luz Mary Roa y con Fabián, un hijastro. Aquí en Envigado viven además mis papás, los abuelos de James, Olga Bedoya y Aureliano Rodríguez. Cumplí 49 años y sigo aprendiendo en la cancha, del fútbol y de la gente, desde el estrato 1 hasta el estrato 7. Por eso antes de juzgar a un muchacho hay que mirar de dónde viene, cómo vive, cómo come, qué pasa en su casa. Es obligatorio que esté estudiando para ser persona antes que jugador. Lo que soy se refleja en la cancha. A James le dieron muchas referencias mías, la forma como le ponía ganas y coraje al trabajo. Y así es él.

Antes tocaba pararlo porque se volaba y se venía para acá a practicar solo. ¿Qué le pude aconsejar? Cuando se dio la oportunidad, primero que todo la humildad, trabajar duro y ser disciplinado. En lo técnico poco. James es depurado; un jugador muy bueno con el balón, cabeza levantada, muy dinámico, buena patada. Después de él no ha habido nada igual y gracias a su ejemplo al jugador bueno ahora se lo sube a primera así tenga tres años menos por categoría. Aquí lo vi jugando en la juvenil y en la profesional. No me perdía partido suyo. Yo pensaba: "Este muchacho va a llegar lejos", pero no que iba a llegar tan allá. Me acuerdo que cuando lo llamaron a la juvenil de Colombia, Lara no lo quería que dizque por pequeño y luego le tocó cambiar de idea. Creció física y mentalmente gracias a don Gustavo y a don Juan Pablo Upegui y al trabajo de todos los profesores: Juan Carlos Grisales, Gustavo Flórez, Rubén Bedoya, Hugo Castaño, "El Misio" Suárez, Miguel Cadavid, Édgar Ramírez, Kiko Barrios. Cuando veo lo que la vida me ha dado, no puedo ser desagradecido y digo: "Esto es lo mío, lo que me gusta". El ambiente es muy bueno: usted ve que todos los muchachos me quieren porque primero que todo soy un amigo, después ven al papá del mejor futbolista de Colombia y ven un espejo en James y en todos los que han salido de aquí. Eso, sumado a mi experiencia y a mi capacitación en Indeportes Antioquia y en el Sena para ser técnico, me permite seguir formando jugadores. Soy asesor del técnico de la sub-15, llevamos 17 partidos jugados, 13 ganados y 4 empatados. Tenemos jugadores con mucho futuro en Colombia y en el exterior. Por ahora están en la selección Antioquia infantil como Iván Angulo, el arquero Samuel Leal, Camilo Suárez, Johan y Víctor Montoya, Yineider Rosales, Edison López, Luis Flórez. A esta edad a los muchachos hay que enseñarles a ser maliciosos, a ser vivos con el balón en los pies, a saber proteger el balón con el cuerpo, a ser juiciosos con el fortalecimiento muscular, a tener cuidado con las noviecitas. Me parece estar viendo al hijo. De cuando estaba pequeño a hoy, James mejoró mucho la capacidad de reacción, la velocidad, porque el jugador actual tiene que ser atleta, así sea el 10, y James entendió y asimiló todo eso. Cuando viene, voy al apartamento de él. Por ejemplo, charlamos antes y después del Mundial. Lo felicité de corazón y lo encomiendo todos los días para que no tenga lesiones. En el Real Madrid le va a ir bien porque es muy fuerte mentalmente a la hora de adaptarse y muy disciplinado. Hubo un momento en que yo no lo creía, pero me convencí de que es un jugador de élite, de que tiene un don que mi Diosito le dio y lo está aprovechando para hacer historia».

CAPÍTULO

10

SER PROFESIONAL AQUÍ O EN CUALQUIER PARTE

La familia perseveró y el anhelado debut oficial como profesional le llegó a los 14 años y medio de edad. Fue el 21 de mayo del 2006 en el estadio del Polideportivo, hoy adornado con una valla gigante de James celebrando un gol en Brasil 2014. Las paradojas de la vida hicieron más importante ese día porque el Envigado enfrentaba al Cúcuta Deportivo, el primer equipo de fútbol al que su padre biológico y su madre lo acercaron. El día de mayor ansiedad que le recuerdan sus amigos «y el que más chicles masticó». «Cuando apareció en la lista de convocados, sabía que había llegado el momento de jugar, pero terminaba el juego y nada que lo ponían».

Por orden de Gustavo Upegui, el técnico Hugo Castaño lo incluyó cuando faltaban 24 minutos e iban 1-1. Más que inseguridad en su capacidad, había miedo de que los grandulones del Cúcuta lo lesionaran, según Juan Diego Muñoz, el preparador físico. «Haga lo que sabe hacer, mijo», le dijo. Entró con la camiseta número 15 y en la primera jugada le hizo un túnel a un contrario que le respondió con una falta fuerte. Se asustaron en el banco, pero se paró envalentonado. Luego casi anota un gol de tiro libre. En la cancha, los ya profesionales Gustavo Bolívar, Frank Pacheco y Jonathan Estrada lo alentaron para que se tranquilizara y al final lo felicitaron. «Tenés madera, *pelao*». Perdieron 2-1 y los eliminaron de los cuadrangulares finales, según el análisis publicado al día siguiente en el diario *El Colombiano*, «por exceso de juventud», pues había ocho sub-21. A pesar de la derrota, medios de comunicación locales y nacionales lo entrevistaron porque fue la noticia del día: el segundo jugador más joven en jugar a ese nivel en Colombia. A todos les repitió: «Estoy muy orgulloso de este logro y aspiro a mantenerme como profesional aquí y luego a nivel internacional».

Cumplida esa meta, Restrepo sentó a Upegui para revisar el futuro inmediato de su hijastro y le pidió que intercediera para que lo convocaran a la Selección juvenil de Antioquia para que siguiera subiendo de nivel. Le respondió que para qué, que ahora había que apuntarle a la Selección Colombia sub-20 que va iba entrenar en Rionegro, Antioquia, al mando de Eduardo Lara. Upegui armó un equipo para foguearla, incluyó a James y jugó tan bien el primer tiempo que Lara lo llamó al camerino y le hizo poner la camiseta nacional para el segundo tiempo. Desde entonces siempre fue incluido en la lista del equipo tricolor que se preparaba para el Mundial de Corea. Ese año parecía ideal. James andaba feliz porque hasta había conseguido novia. Hablaba de Mónica pero pocos llegaron a conocerla. A César le empezó a ir mejor en Nacional y fue campeón sub-17 de la liga departamental.

James estaba confirmando las expectativas del Envigado, pero el 12 de noviembre del 2006 pasó a ser la fecha que menos le gusta evocar a nivel profesional. Ese día, luego de perder con el Cúcuta 1-0, el club descendió a la segunda división del fútbol colombiano después de 15 años de llegar a ese nivel. «Don Gustavo había muerto y nos sentíamos de lo peor», dice «Pipe». Deprimente para James que frente al Cúcuta haya empezado como profesional y diez meses después ese mismo equipo lo hubiera degradado. Pasar la línea entre la victoria y la senda del perdedor es una ley de la condición humana, según Gay Talese: «Todo deportista que ha escuchado los vítores en un estadio ha sufrido también los abucheos». Como siempre, su padrastro estaba ahí para animarlo: «¿Aprendió la lección? Levántese y a hacer el doble de esfuerzo».

Así fue. Sacó a relucir la palabra que más le gusta: «coraje», y convenció al nuevo técnico, Jesús «Kiko» Barrios, de que no era una promesa sino una realidad. Fueron campeones en el primer y segundo semestres, y él fue titular en 40 partidos al lado de colegas más maduros de los que aprendió mucho y se hizo amigo, como Giovanni Moreno, Jairo

Palomino y Charles Monsalvo. Al comienzo Barrios creyó que hacía el mismo papel que «Gio», pero cuando lo puso de enganche y adelantó a Moreno para que recibiera los pases, se transformaron en una dupla eficiente. «Todavía era liviano, le faltaba corpulencia, pero con una rapidez mental y una zurda prodigiosa para abrir espacios, no tenerlo en cuenta hubiera sido un pecado». Además con el «Kiko» se identificaron por el lado espiritual, que también le venían infundiendo su mamá desde el catolicismo y el padrastro como cristiano. Leían y hablaban sobre la Biblia y no paraban de darle bendiciones a «un muchacho con gran personalidad y con gran futuro». A pocos como a Talese le interesan las vidas de los deportistas y una constante entre los triunfadores: Tienen fe en ellos mismos y también son hombres de fe.

Los XV Juegos Panamericanos de Río de Janeiro, entre el 12 y el 29 de julio del 2007, fueron pésimos para la sub-17 de Colombia (no pasó la primera ronda), pero terminarían por cambiarle la vida a James. Una hermana del arquero de la Selección Colombia, David Ospina, le presentó a Daniela Ospina, una voleibolista, también de la Selección nacional, que tres años después sería su esposa. En esas concentraciones hizo otro amigo «para toda la vida»: Julián Guillermo Rojas, un juvenil con la misma formación de Radamel Falcao García en la escuela Fair Play de Bogotá y luego en las inferiores de River Plate, con el que jugó un «Mundialito» en Neuquén. No lo ascendieron, probó en Argentinos Juniors e Independiente de Avellaneda y regresó a Colombia, donde jugó con la Academia Fútbol Club de la B. Rojas define a James como «muy plaga» y «muy chistoso». James le dice «parcero» o «Juli». Se conocieron porque siempre los ponían juntos en el proceso rumbo al Mundial realizado en Corea del Sur entre agosto y septiembre del 2007. «Convivimos dos meses en la misma habitación. Fuimos al Suramericano en Ecuador, fuimos a Perú y a una gira por España e Italia. Es que los futbolistas no somos gente normal, la mayoría del tiempo vivimos más entre jugadores que con la familia. Jugábamos Play Station y me llenaba 55 a cero. Otra cosa que nos unió es que mi familia es de Ibagué y también nos encontrábamos en vacaciones. Aparte, mi abuelo trabajó con el de James a través del Comité de Cafeteros. Durante el Mundial departimos más porque quedamos bloqueados por el idioma. Él ya se cruzaba correos con Daniela». Otro amigo que ingresó al «parche» fue Santiago Tréllez, hijo de «La Turbina» Tréllez, que jugó con su papá biológico. Gran experiencia para ellos: empataron contra Alemania, vencieron a Trinidad y Tobago y perdieron con Ghana. Clasificaron a la segunda ronda, en la cual los eliminó Nigeria, que fue el campeón, con un marcador 2-1.

Ese año James y Julián se enfrentaron, uno con Envigado y el otro con Academia, en las dos finales por el ascenso al profesionalismo. Las dos veces ganó el equipo naranja. «Yo lo marqué lo mejor que pude, pero ellos nos ganaron con jugadas de James y goles de Giovanni Moreno. Siempre le daba duro en la cancha. Estando en la selección yo agarraba la cama más cercana a la puerta y él saltaba por encima pero con las canilleras puestas porque supuestamente yo iba a pegarle. En la segunda final, en diciembre, usó unas canilleras grandísimas para que no lo partiera. Fue triste porque no pudimos subir a la A, pero ellos sí. James me decía: "Cagada, pero no se desanime"».

Los envigadeños armaron un carnaval. En el bus que los llevó desde el estadio, donde James entendió de verdad qué era ser profesional, hasta el parque principal de Envigado, donde les hicieron un homenaje multitudinario, empezaron a circular cervezas, a brindar y a disparar chorros de espuma. El único que no bebió fue James, a pesar de que sus compañeros le gritaban en coro: «Que se tome una, que se tome una». Tenía sus razones: la disciplina de no caer en la misma tentación que su padre y la certeza de que el futuro se decidiría en esos instantes. Sabía que para el 2008 las prioridades del Envigado, ahora gerenciado por el hijo de Upegui, Juan Pablo, ya no eran las mismas. El cuerpo técnico lo convenció de que la creación no podía quedar en manos de un muchacho que todavía estaba «biche», que era mejor no forzarlo ni arriesgarlo con la obligación de liderar y mantener el cupo en primera categoría. Optaron por la estrategia opuesta: contratarían a jugadores experimentados en cabeza de un 10 reconocido como Néider Morantes, 16 años mayor que James y que se convertiría en el goleador histórico del club.

Si no contaban con James, menos con «Pipe», quien entró en depresión a pesar del ánimo que recibía de su familia y de la de su amigo. «Llegó un momento en que no tenía sustento económico para ayudar a mi mamá. Pedimos los papeles y me dejaron ir a buscar otro equipo. Terminé en el Atlético Urabá del profe Nelson Gallego. Por lo menos seguí jugando». En el caso de César, el Nacional promovió a otros compañeros al equipo profesional, menos a él. «Sentí desespero, hablé con los profes, quería que me subieran o que me entregaran los papeles. Primero me dijeron que no me desesperara, como me había dicho James, y a la semana me dieron los papeles. Volví a las inferiores del Tolima, probé en Quindío y Pasto y tampoco funcionó, hasta que me quedé sin equipo y tuve que devolverme a Lérida, mi pueblo».

Jornadas tristes. Juan Carlos y Pilar sintieron que se había cumplido un ciclo y que si no se movían, la carrera de su hijo podía estancarse. En un acto de agradecimiento con la familia Upegui, y una decisión estratégica, le cedieron un 15% más de los derechos deportivos de James, es decir, la mitad quedó en poder del Envigado y la otra mitad de la familia, a cambio de que les permitieran buscar oportunidades por fuera del club. Las aspiraciones seguían siendo grandes y el padrastro pensó que en otro equipo colombiano la situación sería similar. Optó por hacer contactos internacionales. De la página web de la FIFA bajó todos los datos de los empresarios autorizados para comprar y vender jugadores, y empezó a mandarles a

Suramérica y Europa la hoja de vida y el DVD de James (fotos, videos desde niño hasta el Mundial de Corea, testimonios, cifras, conceptos técnicos y médicos, logros desde preinfantil hasta juvenil, registros de periódicos y noticieros de televisión).

La primera propuesta llegó de Argentina, de parte de Silvio Carlos Sandri, dueño de la empresa Coordinaciones Deportivas S.A. y exportador de jugadores colombianos a Argentina. También llevaría a Giovanni Moreno, y a argentinos a las ligas italiana y portuguesa. El propio argentino confirmó las referencias de James en un sondeo de técnicos en Antioquia, que incluyó a Hugo Castaño. A la familia Restrepo Rubio le pareció serio y confiable. Averiguaron sus antecedentes y todo mundo dio buenas referencias. La condición era que solo dejaban partir a James con un contrato como profesional, no a prueba, firmado y legalizado, en el que se comprometieran laboralmente con él, incluso si llegaba a lesionarse. Días después surgieron tres posibilidades: Boca Juniors, Lanús o Banfield. La lógica indicaría que Boca, pero en el vecindario de Caminito se podía perder entre muchos aspirantes, y el empresario admitió tener allí menor margen de maniobra. Lanús estaba de moda porque había ganado el Apertura 2007, pero la tranquilidad y la apuesta juvenil de Banfield, el antiguo pueblo de migrantes ingleses y aire victoriano, parte del llamado gran Buenos Aires, llamó la atención de Pilar y Juan Carlos. Sandri opinó que conocía de la solidez y seriedad del club, que venía en curva ascendente, y que allí tendría más oportunidades para adaptarse y destacar. En el apacible vecindario de Arboledas y con una cancha en la mitad, confirman que las películas recopiladas por el padrastro fueron definitivos: Sandri contactó a Clide Díaz, directivo del club: «¿Te puedo mostrar videos de un colombianito?». Quedó impresionado: «Hacía jugadas espectaculares y no dudé un minuto en sumarlo». Él a su vez convenció al presidente del llamado equipo Taladro, Carlos Portell. A los tres les llamó la atención el convencimiento que muestra James al presentarse en el DVD. Está sentado en su cama frente al *collage* que le hizo su mamá y que resume en fotos y titulares de periódicos su frenética carrera. Para variar tiene el control del Play Station en las manos, su terapia de relajación, y dice: «Tengo 16 años, soy jugador profesional. Un volante 10 con mucha llegada. Me gusta jugar con la pelota al piso y hacer gol, aunque el pasegol es un don que Dios me dio. Quiero seguir jugando para Colombia y a nivel mundial». «¡Qué confianza se tiene este pibe!», fue la reacción. Revisaron cada dato: 1,80 de estatura, 73 kilos de peso, sano, vacunado, con un cartón de bachiller que después «Pipe» cuenta cómo lo obtuvo. Repasaron todas las categorías nacionales que superó, repitiendo entre risas goles de media distancia y olímpicos. ¿Experiencia internacional? Mucha para 16 años: subcampeón con Colombia en la Copa Independencia de El Salvador 2006, frente a México, Costa Rica y El Salvador; campeón, goleador y mejor jugador del IV Torneo Internacional de las Américas en Cali; en el Torneo

Internacional de Verano 2006 el exfutbolista colombiano Mauricio «Chicho» Serna lo recomienda para Boca Juniors, de Argentina, pero el empresario Alberto Quiceno no concreta la oferta; hace cuatro goles en el Campeonato Suramericano de Ecuador 2007 y es elegido «jugador con más proyección»; en los Panamericanos de Río, a pesar de la eliminación colombiana, es señalado como figura del equipo y tentado por el Palmeiras para pruebas por un año que no se concretan, y en el Mundial sub-17 de Corea, figura contra Alemania y Trinidad y Tobago. Con las pruebas en la mano, se les hizo difícil encontrar un mejor perfil para invertir.

El negocio por 440 000 dólares, por la mitad del pase, se formalizó en el restaurante *La Margarita* de la carrera 70, en Medellín, al calor de una bandeja paisa. Hubo suspiros y muchas oraciones. «Él se va para Argentina la primera semana de enero del 2008 –dice "Pipe"—. Me alegré mucho por él, pero es duro quedarse viendo el futuro enredado. De eso empezamos a hablar por Messenger». Contradicciones de la vida que iban a profundizarse.

CAPÍTULO

11

BANFIELD Y «EL SÍNDROME»

En Banfield a James Rodríguez lo recuerdan entre una lista de héroes locales que incluye a Julio Cortázar. Puede parecer un despropósito, pero es la realidad histórica de este suburbio del sur bonaerense, que todavía conserva el importado aire británico del siglo XIX. Un mural en el andén de la estación del ferrocarril y una placa en la casa donde vivió en la calle Rodríguez Peña recuerdan la niñez y la adolescencia del inmortal autor de *Rayuela*, la novela inspirada en la *golosa* que jugó en estas calles empedradas que desembocan en la plaza central, rebautizada en el 2009 como Plaza del Campeón. Hay un monumento en honor del equipo que después de 113 años de desdichas y dichas efímeras ganó la liga profesional del fútbol de Argentina, y cuyo nombre viene del primer gerente del Gran Ferrocarril Sud, Edward Banfield.

A petición de la fanaticada, en una especie de paseo de la fama al estilo Hollywood, los jugadores dejaron grabada en el piso una huella en concreto conservada dentro de una estrella verde. James inmortalizó la zurda sobre la que los niños se paran para sentir que pueden dar pasos hacia la grandeza. Un lujo que no se dio ni Javier «El Pupi» Zanetti, uno de los banfileños más famosos. El nombre del colombiano está grabado en relieve plateado y es valorado por hinchas como Cristina Quiroga y sus nietos, hasta el punto de dejar constancia en cartas y fotografías de que lo vieron jugar. Esos documentos los guardaron para la posteridad en un cofre llamado «El Tesoro de Banfield», enterrado en el 2010 y que será abierto en el 2060, «para que las próximas generaciones no olviden a los pibes que nos dieron el máximo orgullo».

¿Y Cortázar? «Otro grande, pero "el Taladro" es el alma». Desde 1941 el diario *El Pampero* bautizó así al equipo por agujerear o taladrar el arco de sus rivales. Sin duda, a este vecindario lo mueve el fútbol más que la literatura, aunque las hormigas negras de Banfield, protagonistas del cuento *Los venenos,* se resisten y siguen abriendo caminos subterráneos incluso hasta el «Lencho», el estadio rectangular construido en los años 40 en homenaje al presidente de la institución, Florencio Sola, al lado de la calle Arenales. En los años cincuenta aquí se hizo grande el verdiblanco entre los equipos chicos argentinos, al lograr un récord de 49 partidos invicto, aunque perdió la final de 1951 contra Racing. Si en Argentina hay un club que represente los vaivenes de la vida es Banfield: descensos, ascensos, frustraciones, ilusiones.

A este ambiente llegó James con apenas 16 años y medio de edad, ansioso y temeroso, sin la «invulnerabilidad de jugador de fútbol» descrita en *Deshoras,* a jugar en el jardín de Cortázar, vestido de verde, con la sensibilidad y el idealismo de un *cronopio* y la rigidez de un *fama.* Era la primera vez que dejaba a su familia, a sus amigos, a su novia Mónica, a su mascota Beethoven, el Play Station. Hasta ese momento la mayor independencia que ostentaba era comprar su propia ropa con el millón de pesos colombianos que le pagaba el Envigado.

Silvio Sandri se había comprometido con Pilar y Juan Carlos a cuidarlo como a un hijo; después de todo, era la apuesta más arriesgada y a la que más le tenía fe en su vida como empresario del fútbol. Fue por él al aeropuerto de Ezeiza y lo acomodó en su casa durante un mes. Le cedió el cuarto de su hija pequeña mientras le conseguía apartamento en el sector de Monte Grande. Desde el primer día el impacto fue grande porque llegó feliz a entrenar pensando que, con las referencias que había mostrado y le habían reconocido, iba a estar disponible para pelear un puesto con el primer equipo. Se encontró con una orden para entrenar con los chicos de la cuarta división. Apenas pudo llamó a Sandri para preguntarle si se trataba de una confusión. No. Los directivos de Banfield lo dejaban a prueba para llevarlo hacia arriba y de a pocos desde las inferiores.

Quedó bajo órdenes del mandamás de las reservas, Raúl Wensel, quien desde el primer día lo trató con dureza, llamándolo despectivamente «colombiano», y lo sometió a un régimen que lo doblegó a nivel físico. En lo psicológico lo ponía a jugar en los partidos y antes de completarlos lo relevaba. Ante la protesta, a Sandri le explicaron que necesitaba mucho trabajo porque era lento en reacción, en parte por ser pequeño y culón («petiso y retacón» decían en el porteño dialecto lunfardo) y falto de contextura superior. Había comentarios de que el club se había enloquecido al comprar un «pibe» tan joven. Entró en crisis y empezó a llamar a Colombia llorando. Al otro lado de la línea encontraba consuelo y la misma exigencia de siempre: «No se dé por vencido o lo pierde todo».

Corría indignado a la oficina de Clide Díaz a recordarle que lo habían traído para jugar en primera y ni siquiera tenía continuidad en cuarta. Al corresponsal de *El Espectador* en Buenos Aires, Daniel Avellaneda, le dijo que cuando cumplió los 17 años, solo y abrumado, estuvo a punto de salir corriendo de regreso a Colombia. Ese día habló con Daniela, la bella voleibolista de la Liga de Antioquia y de la Selección Colombia por la que Mónica pasó a un segundo plano, y le levantó el ánimo. Advertida la familia, Juan Carlos pidió una licencia laboral y viajó a reenfocarlo. Lo encontró devastado, con las defensas tan bajas que terminó enfermo de rubeola. Mientras le cepillaba la espalda para calmarle la comezón, lo hacía repetir sus máximas de superación: no rendirse, resistir, sacrificarse, persistir, ser el mejor cada día. Ahora la familia llama anecdóticamente a esta etapa: «el síndrome».

El padrastro sintió que era obligatorio que la familia volviera a vivir con él si querían que el trabajo de más de diez años no se derrumbara. Juan Carlos empezó a buscar posibilidades laborales en Argentina y consiguió trabajo en Accenture. Arrendaron un apartamento cerca a Banfield y contrataron a una empleada. Como la mayoría de jugadores llegaban a entrenar en carro y él en «combi» o colectivo, la primera inversión fue comprar un Peugeot 206 al que llamaban «la amenaza blanca». En él, James repasó las lecciones de manejo que había recibido en Colombia de su padrastro y sus tíos. Recuperó la estabilidad emocional con la presencia de su mamá y su hermanita Juana Valentina, y el apoyo de Daniela.

Otro elemento en beneficio del adolescente fue que Sandri siguió llevando jugadores colombianos a probar suerte y por ese intermedio terminó viviendo con James su amigo de la Selección Colombia sub-17 Julián Guillermo Rojas. «Un día estábamos jugando *ping-pong* en la concentración de la sub-17 de Colombia y le conté que estaba aburrido en el Cúcuta. Me había llevado el profe Pedro Sarmiento como volante de marca, pero lo echaron y me tocó con el paraguayo Aníbal Maño Ruiz y luego Jorge Luis Pinto, y no me sentía bien. Llamé a Silvio y él me llevó a Buenos Aires a la cuarta de Banfield. Sentí lo que me había dicho James: me hicieron el feo porque el argentino ve al extranjero como el que va a quitarle la comida.

Conocí a Wensel, el coordinador de inferiores, y realmente no le gustaba James, se la montaba y no lo ponía. Estuve con ellos en el apartamento como cuatro meses. Tratábamos de pasarla bien, de relajarnos jugando aunque no se le quitaba lo de mal perdedor. Nos dábamos ánimo y leíamos la Biblia. Desde que lo conozco lee la Biblia. Allá iba a una iglesia cristiana con Juan Carlos y después en Portugal también». En la Selección Colombia las cosas tampoco iban muy bien. Eduardo Lara lo convocaba pero a la hora de los partidos prefería a Sherman Cárdenas, hoy jugador de Nacional de Medellín, y a Javier Reina, hoy en Millonarios de Bogotá. Llegó a decir que no volvía a la sub-20.

A mitad de año volvió unos días a Colombia y «Pipe» también la estaba pasando mal. «Los dos estábamos en la dura. Yo de Urabá pasé a probar en el Chicó seis meses y tampoco se me dio nada. En todo caso tiramos piscina, salimos a comer, siempre muy tranquilos, nunca de fiestas. Él ya vivía muy pendiente de Daniela. Igual fue en diciembre en Ibagué». «El Misio» Suárez cuenta que «estando James en Argentina, cuando venía de vacaciones me pedía que lo dejara entrenar con el equipo para no descuidarse, y lo recibíamos con mucho gusto. Los demás muchachos se daban cuenta de lo duro que era jugar afuera».

El sufrimiento con Banfield duró hasta que Jorge Luis Burruchaga, campeón mundial con Argentina en México 1986, llegó a dirigir el equipo de mayores en el segundo semestre del

2008. Un día pasó por el entrenamiento de las reservas, vio jugar al colombiano y le puso el ojo. Luego lo vio en un juego contra Vélez en el que fue figura y lo llevó a entrenar con los grandes. La familia pasó de un apartamento a una casa amplia con jardín, piscina y un espacio para hacer asados. La mamá de James pronto se dio cuenta de que la relación con Daniela era sólida y que lo beneficiaba afectivamente, mientras Juan Carlos la toleraba pero la veía como un factor de desconcentración. Él le insistía a James en que era el momento más importante de su vida deportiva, el que definiría si se quedaba entre los jugadores del montón o daba el salto a los de élite. James lo tranquilizaba diciéndole: «Juanca, yo voy a jugar en el Real Madrid».

Julián confirma esa obsesión: «James me decía: "Juli, voy a jugar en el Real y voy a ser de los mejores del mundo". Con una seguridad como si supiera lo que le iba a pasar. ¿Por qué? Porque siempre sabe lo que quiere, se ha visto allí mentalmente y asimila mejor las cosas que se le presentan, no se amedrenta. Cuando uno lo conoce nunca le sorprende lo que logra, simplemente ve los resultados de lo que trabaja a pulso. Con Juanca y Silvio lo acompañamos a muchos partidos. Nos íbamos en carro hasta Rosario, como a cuatro horas. Recuerdo allá un 0-0 y jugó muy bien. Volvíamos y Juanca lo ponía a ver videos y a corregir errores. Después nos recostábamos a ver fútbol internacional, el partido que cayera. Cuando salíamos a comer era loco por unas costillitas que venden en Sorrentinos y por las BBQ de Kansas. Si estábamos en la casa, se moría por el sudado de pollo que hace Pili. Los fines de semana era fijo el asado y James peleaba por las costillitas. Eso sí nunca tomábamos cerveza, tal vez champaña en un cumpleaños, de resto sanos».

La mayor parte del tiempo libre lo dedicaban a ponerse a tono físicamente con lo que les exigían en el club. «Siempre dormíamos la siesta y luego íbamos al gimnasio que quedaba a dos cuadras de la casa, frente al McDonald's. Trabajábamos rutinas para fortalecer el tren superior y no fatigar las piernas. Queríamos estar más fuertes cada día porque el fútbol argentino es de choque y yo le decía a James que él tenía mucho talento pero le faltaba poner más en lo físico, pelear y arrastrarse en la cancha. Le insistía: "Tírese por el balón de vez en cuando que eso aquí a la gente la enloquece", y empezó a hacerlo. Cuando puso a punto esa fusión del cuerpo y la cabeza, todo hizo clic y "la rompió"».

El momento ideal llegó a comienzos del 2009. Lo llevaron a Mar del Plata para su primera pretemporada de verano con el equipo principal. Los compañeros lo recibieron con un bautizo de debutante que no esperaba: le raparon la cabellera a ras, su amada cresta al estilo Cristiano Ronaldo. El encargado de la ceremonia fue Christian Lucchetti, el arquero. Quedó al borde de las lágrimas y se deprimió unos días. Por primera vez usaba gorras. El ánimo le cambió a comienzos de febrero cuando notó que Burruchaga estaba decidido a ponerlo. Banfield había terminado en el puesto 13 en el torneo anterior y quería renovar la plantilla. Lo convocó para el primer juego del 2009 contra Godoy Cruz y lo hizo debutar el 7 de febrero en el estadio Malvinas Argentinas, de Mendoza. A los 33 minutos del segundo tiempo entró a cambio de Bertolo, empezó a moverse con soltura y le cometieron un penalti con el que su equipo hubiera podido ganar 2-1, pero no lo convirtió Luchetti. Como aquella vez en Envigado, fue noticia nacional al convertirse en el extranjero más joven en debutar en la primera división del fútbol argentino con 17 años y medio.

La tribuna banfileña empezó a loarlo el 27 de febrero cuando le hizo un golazo a Rosario Central desde 30 metros de distancia, a los 30 minutos del segundo tiempo, para un 3-1 contundente. En la emisora Región 90.5 se oyó: «Qué manera de pegarle a la pelota, por favor. Este colombiano tiene un cañón en la zurda». Hubo titulares como «Banfield tiene su 007» y le dieron una calificación alta en el diario *Olé.* Él consiguió el video del gol y lo repetía una y otra vez. Dentro del equipo un apoyo moral importante fue Jairo «El Viejo» Patiño, exjugador de la Selección Colombia que le aconsejaba aguantar. Luego se fue para el San Luis de Potosí, en México, y Emmanuel «El Pollito» Pío, mediocampista que ahora juega en el Tigre y con el que todavía habla, fue uno de sus primeros amigos profesionales. Con él salía «a dar una vuelta por ahí».

Sin embargo, Burruchaga renunció intempestivamente y a finales de marzo llegó como técnico el exarquero del América de Cali, Julio César Falcioni. Volvieron a ponerlo a prueba y a sufrir. El preparador físico Gustavo Otero lo tuvo bajo régimen y Falcioni le dijo que lo quería como mediocampista pero por la izquierda y bajando a marcar y a recuperar el balón. James le dijo a los diarios locales: «Hay que correr más en ese puesto. No es sencillo para mí, porque mi puesto natural es el de enganche. Pero uno tiene que obedecer al técnico si pretende jugar y hay que adaptarse sí o sí. Aprender a marcar también me hace crecer como profesional». Julián, que seguía en la cuarta división, dice que habían mejorado tanto en el gimnasio que «un día Falcioni, que era duro con él, lo regañó porque había ganado mucha masa muscular. Le tocó regularse». Otro día lo culpó injustamente de una derrota, de un error que había cometido otro jugador. Luego tuvo que disculparse y a regañadientes empezó a reconocerle el sacrificio y lo ponía en la suplencia. Desde la banca saltó al campo de juego para celebrar en mayo el triunfo 3-2 sobre Boca. A «El Tuto» Noreña le contó vía Messenger lo «increíble» que era dar saltos de felicidad en el círculo central de La Bombonera. Los siete meses siguientes serían de júbilo.

El primer semestre del 2009 lo terminaron en mitad de tabla. La explosión del equipo se dio en el segundo con 12 victorias, dos derrotas, la valla menos vencida y el goleador del campeonato. Empezó mostrando el potencial al ganarle en su estadio a River 2-0, sacando puntos claves de visitante, como el triunfo contra Lanús 2-1 o las victorias sobre Independiente de Avellaneda y San Lorenzo. De local ratificó al vencer a Estudiantes, a Vélez 3-0, a su rival directo por el título, Newell's Old Boys, con un golazo de media distancia de James, muy parecido al que le hizo a Rosario. Enseguida del coro «taladró, el taladró, el taladró», con acento porteño en la o, del «grito atronador cada vez que Banfield marca un gol», los «corazones tribuneros» rugían «James, James» y anunciaban «rueda la pelota, nace una ilusión… Vamos Banfield que nos sobran los cojones, este año salimos campeones».

Al comienzo de ese torneo Falcioni le dio continuidad pero no seguridad, porque Banfield había traído para la misma función a Roberto Battión, diez años mayor que James, más defensivo y que jugaba en el Aris Salónica de Grecia. Los periodistas le preguntaban todos los días cuándo iba a ponerlo para aprovechar su experiencia en Europa. Se dio una situación parecida a la llegada de Morantes al Envigado. Falcioni probó a los dos y el colombiano, con la camiseta ocho, demostró que era la alternativa ideal para el medio campo. Las figuras del equipo empezaron a respetarlo. Se volvió común ver al volante Walter Erviti y al goleador Santiago Silva «tirándole línea». Sabían que cuanto más juego produjera el colombiano, mejor les iba a ellos. Julián dice que una de esas jugadas inolvidables que dejaron en claro de lo que es capaz sucedió en la cancha de Banfield: «Le hizo la Ronaldinha que tanto entrenábamos en la casa a la estrella de River, Marcelo "El Muñeco" Gallardo, y el argentino del River lo agarró del mentón y James lo encaró. Ese día se echó al equipo y la hinchada al bolsillo».

Todo empezó a marchar sobre ruedas: la familia unida de nuevo, Daniela iba a visitarlo gracias a que Pilar llamaba a la mamá de ella a donde fuera, incluso a Francia, porque pasaba temporadas con su hijo David Ospina en Nantes, para que le permitiera quedarse unos días. Como Daniela también era menor de edad, un año menos que James, Pilar se hacía responsable de ella y del papeleo. Ese era motivo de discusiones entre Pilar y Juan Carlos, pero como los resultados deportivos estaban a la vista, él solo le advertía que no se apresurara, que la conociera pero que no se comprometiera porque gracias a su carrera iba a tener oportunidades con más mujeres. Con el tiempo, Juan Carlos empezó a resignarse y los respaldó hasta el punto de salir de su trabajo para ir donde James por un teléfono y luego atravesar la ciudad para entregárselo a Daniela para que se comunicara con él porque había llegado a la ciudad con la Selección Colombia de voleibol. Cuando ella no estaba, oía todo el tiempo canciones de Maelo Ruiz como *A pesar de la distancia*, *Adicto a ti*, *Cómo te hago entender* y *La dueña de mi corazón*. Junto a ella James se veía pletórico, salían a cine, de compras y se divertían jugando tenis de mesa o videojuegos. Cambió «la amenaza blanca» por un carro cero kilómetros y la gastronomía se convirtió en una alternativa social que antes no contemplaba. El diario *Clarín* le hizo un perfil que molestó a la familia porque decía: «Por fin compró un Volkswagen Golf… ya no tenía que pedir monedas prestadas a los empleados del club, tartamudeando, para tomarse el colectivo». James nunca pidió limosna, jamás le faltó lo necesario, fue la rectificación. Con la vida profesional y sentimental en su lugar, lo único que podía venir eran buenas noticias. Banfield llegó a la última fecha del torneo con la primera opción de ser campeón.

CAPÍTULO

12

CONOCER A JAMES EN LA BOMBONERA

El domingo 13 de diciembre del 2009 nace este libro. Ese día fui a La Bombonera a hacer una crónica para *El Espectador* sobre los 70 años del mítico estadio, en compañía del corresponsal del periódico en Buenos Aires y de colegas del diario *Clarín*, del que fui corresponsal en Colombia durante diez años. Tomaba notas de la atmósfera de espasmo colectivo, de la famosa 12 de Boca que hacía vibrar las tribunas, y cuando empezó el partido, un «colombianito» con la camiseta número 8 de Banfield empezó a pedir el balón, a pisarlo y a distribuirlo entre sus compañeros como si fuera el capitán y estuviera jugando de local. Al preguntar por él hubo unanimidad en que tenía talento para ser grande. Era la primera vez que jugaba en esa catedral del fútbol y durante los 90 minutos no cambió la actitud. Perdieron 0-2, pero lograron el campeonato y escribí: «Hoy otro colombiano entra a la historia de este estadio. Se llama James Rodríguez, apenas es mayor de edad, en Banfield se adueñó del balón y puede decir que salió campeón en el templo de Boca. En el camerino, envuelto en una bandera de Colombia me dice: "No lo puedo creer". El técnico Falcioni le unta espuma de afeitar en la cabeza y queda bautizado. Se siente a la altura de "Chicho" Serna, Jorge Bermúdez, Óscar Córdoba, Fabián Vargas, Amaranto Perea». Lo veía y pensaba: un jugador tan joven que no se intimida y se sobrepone al peso histórico de La Bombonera para marcar la diferencia merece respeto y admiración.

De esa jornada surgió la crónica «James en la intimidad del camerino», inspirada en la noche en que se hizo mayor de edad para el fútbol, escrita también para *El Espectador* durante Brasil 2014, en un intento por explicarle al lector de dónde había sacado James la capacidad que lo llevó a ser el goleador y uno de los mejores jugadores del Mundial. Recuperé más imágenes de la final en La Bombonera: «El marcador es una anécdota menor, la importante es cómo "ese pibe" calló a todos pidiendo el balón, distribuyéndolo, untándole la bola a los *xeneizes* y provocando que la famosa barra 12 cambiara los cánticos de "Dale Bo, dale Bo, dale Booooooca" para corear "colombiano puto"».

«Banfield recibió el trofeo, James lo exhibió a la tribuna y le gritaban "colombiano, la puta que te parió", él hizo una seña a sus compañeros para no dar la vuelta olímpica y se metieron al camerino. Entonces la barra brava se calmó. En el corazón de La Boca James había enfrentado y vencido lo que el escritor mexicano Juan Villoro me describió como uno de los mayores "vértigos" que se pueden vivir en un escenario deportivo. Recuerdo a los jugadores de Banfield saltando, a Falcioni dándole crédito a la valentía del equipo y a la "madurez" del colombiano. "Pensar que estuve a punto de salir corriendo para el aeropuerto y devolverme a Colombia" —decía James. Estaba orgulloso por el título, porque le abriría las puertas de un club grande, le acercaba la posibilidad de jugar en Europa y porque —nos hizo reír con el comentario— ya tenía cédula de ciudadanía y debía demostrar que era mayor de edad tanto en su vida personal como en el fútbol».

«Falcioni advirtió: "A este pibe lo queremos pero hay que dejarlo ir. Va a ser grande". Volteamos a mirar y el colombiano tímido, humilde, bien puesto, sonriente, de cachetes rosados por el calor, estaba en una esquina viendo lo que no acababa de creer, con la bandera colombiana amarrada al cuello como una capa. Lo volvieron a llamar al centro y todos quedaron bajo un baño de espuma. James volvió a abrir la boca para gritar: "Ahora vamos por la Libertadores. Podemos". Todos repitieron al unísono: "¡Podemos!"». Y mi último párrafo decía: «Sueña en silencio con jugar en el Real Madrid, del que le habla mucho su amigo Cristiano Ronaldo. Aquella noche le pregunté si celebraría en algún lugar en especial. No iba de parranda como los otros sino a reunirse con su familia y darle gracias a Dios. Dijo: "La Gloria es de él"».

Lo vi dar entrevistas, cómodo con la muletilla argentina «y bueno…» antes de cada respuesta. Un reportero de televisión le preguntó a un hincha colombiano qué le quería decir a James y le respondió: «¡Usted es la verga!». Luego le repite al jugador lo que acaba de oír, James le advierte que «es una mala palabra», el hincha se acerca y aclara que quiere decirle de parte de los costeños colombianos que «es lo mejor que hay». Ríen a carcajadas. Oí a un indignado. Era Juan Carlos Crespi, dirigente del Boca, admitiendo que tenía «una calentura bárbara» porque cuando Sandri ofreció a James él le vio las capacidades pero en el club no lo «bancaron» y ahora tenían que verlo campeón en su cancha. Lo vi irse en el bus verdiblanco, descolgándose para tocar las manos de algunos de los 2000 seguidores del Banfield que fueron a La Bombonera, muchos llorando mientras cantaban «levanten la copa amigos míos, esta noche vamos a festejar, vamos a celebrar hasta que nuestras copas no choquen más», coro seguido de un montón de gerundios que hubieran emocionado hasta a García Márquez, que los odiaba: «Nuestros brazos en alto están sintiendo que nuestros corazones se están uniendo… dale campeón, dale campeón». Así hasta llegar a dar la vuelta olímpica al «Lencho», que estaba lleno desde temprano, iluminado por fuegos pirotécnicos, en una celebración que terminó con los 25 integrantes de la plantilla jugando a la ronda, como niños, erizándole el pelo hasta a un calvo como yo.

Por el tono de esa crónica mundialista, el editor del sello Aguilar me llamó y me pidió escribir esta semblanza biográfica de James, más que del futbolista del ser humano, del valiente que soportó los partidos del último mes de liga con un esguince de tobillo grado tres, sin quejarse delante del inflexible Falcioni, sin hacerle caso al implacable Juan Carlos que en un momento se asustó y le advirtió que no se arriesgara a una lesión grave, que lo primero era la salud. El hijastro le respondió: «Juanca: a mí me sacan de ahí muerto antes que perderme los partidos definitivos». Al día siguiente del frenesí lo invitaron al canal ESPN y el periodista Jorge Barril no podía creer cuando James se descubrió el pie y le mostró la hinchazón. Julián lo resume así: «Con eso nos demostró que es un varón, que ya no era un cagón». Como homenaje a esa gesta guarda en su teléfono una foto que le compartió ese día a su amigo; James apropiándose del balón contra el Boca y detrás el paraguayo Julio César Cáceres con cara de desesperación porque el colombiano se le escapó.

A sus amigos les contó la misma noche del título que haberlo logrado en La Bombonera fue, por las circunstancias, su máxima graduación profesional. «Después de sacar adelante eso, nada le iba a quedar grande», piensa «Pipe». «Me dijo que lo que se siente allá es muy bravo, que tiembla todo, que usted está jugando y siente la vibración. Y James es de esas personas que no les da miedo tanta gente sino que se crece. Cuando jugábamos en estadios llenos hablaba más duro y con más ansiedad: "Dame balón, dame balón", y si no se lo dábamos se ponía bravo y gritaba: "Dámela, marica, que me la des", y rendía mejor con la sangre caliente en los momentos más jodidos».

Andrés Matheus Uribe da testimonio de esos momentos porque vivió con los Restrepo Rubio después de Julián Guillermo. James también lo recomendó con Silvio Sandri y fue el siguiente inquilino de la casa gracias a que Pilar y la mamá de él son muy buenas amigas. James y «Mateo» eran «parceros» desde la época del Pony Fútbol y del Envigado. Los dos guardan calendarios promocionales de ese campeonato infantil en los que aparece James con el balón y «Mateo» marcándolo. «Yo voy allá a los 18 años a jugar en la cuarta del Huracán. James ya era reconocido, estaba jugando liga y Copa Libertadores y se hablaba de ofertas del fútbol europeo, palabras mayores. Me recibieron como parte de la familia, la ayuda de ellos fue muy grande y yo me convertí en la compañía de él aparte de la hermanita, que todavía estaba chiquita. Volvimos a los tiempos de jugar Play, aprendí de la técnica que tiene para que el balón no le rebote cuando lo recibe. Le contaba cómo me iba y siempre me daba apoyo y consejos, que luchara. Me repetía: "Mateo": con el talento que tenemos podemos jugar sobrados en la profesional. Yo la tenía clara, sabía que las cosas como se le dieron a él a muy pocas personas se le dan. Me acuerdo que celebramos cuando hice mi primer gol como profesional en Argentina contra el

Atlético Acassuso. Después jugué en primera B profesional un año y medio con Deportivo Español. Era una vida intensa: del entrenamiento a la casa, descanse y vuelva a la cancha. Nos pasaba que llegábamos de un partido y no podíamos dormir, no sé por qué, tal vez por todos los energizantes que tomábamos, entonces nos poníamos a ver videos. A veces lo acompañaba a entrenar con Banfield y como allá solo dejaban entrar familiares, yo decía que era el primo».

Luego de las celebraciones del título empezaron a concretarse las ofertas. Sandri, que seguía siendo representante de James, recibió comunicaciones formales del Porto de Portugal, el Español de Barcelona, la Juventus y el Udinese de Italia. Se especuló durante meses y se llegó a publicar que la comisión directiva de Banfield había aprobado la venta del 50% del pase del colombiano a Udinese por tres millones de dólares, pero la primera opción resultaba la más atractiva por las garantías que ofrecía a nivel económico y profesional, teniendo en cuenta el historial de ese equipo con latinoamericanos que luego triunfaron como Radamel Falcao García. Juan Carlos estuvo al tanto de los detalles mientras su hijastro seguía concentrado en ratificar su perfil en competencia continental. También lo convenció de empezar a estudiar inglés y portugués, sin descuidar los libros de superación. Según Julián, leía más para mejorar su dicción a la hora de hablar y a veces agarraba libros de él como *El Código da Vinci*.

«James vivía pendiente de las noticias —dice "Mateo"—. Parábamos a comprar el *Olé* porque lo seguían y siempre le daban buena calificación, entre siete y nueve, una vez le dieron diez. Hubo un partido que fue desastroso, tanto que en la tribuna nos preguntamos con Juanca: "¿Qué le pasa hoy?". Terminaban los partidos y nos tocaba esperarlo en las afueras del estadio con las puertas abiertas del carro porque ya era la figura y por ser "pintoso" todo el mundo se le acercaba a pedirle la foto. Nos tocaba llevárnoslo a la fuerza. Ese día salió tan frustrado que no le paró bolas a la prensa ni a nadie. No nos habló durante todo el camino. Le pusieron tres de calificación y se indignó tanto que en el siguiente juego fue la figura».

En Argentina se volvió referente por actuaciones como la del 13 febrero del 2010 en el famoso clásico del sur contra Lanús. Ganaron 2-0 con un gol de él, que es el que más le gusta a su mamá. Recibe un desborde por la izquierda, le hace un túnel al defensa, lo espera, le esconde el balón, arma la pared de taquito, se la devuelven, enfrenta al arquero, le amaga y define por encima al segundo palo. Celebró con los brazos abiertos en gesto de «¿qué puedo hacer?». Este fue un gol similar al que haría después en el Mundial de Brasil contra Japón.

«Los fines de semana siempre estábamos en los asados que nos hacía "el señor Pata", un amigo de Silvio Sandri que era el duro de la carne. Nos divertíamos en la piscina, recochábamos descalzos, jugábamos mucho tenis de mesa en parejas, James con Daniela, que cada vez iba más seguido, y yo con

Julián Guillermo. Si perdían se ponía bravo con Daniela y botaba las raquetas. Podía durar ofendido días, como una vez que estaba de visita un primo de Ibagué y le ganó. Es muy divertido. Es una persona que para las cámaras aparenta ser muy tímida pero a la hora de compartir con uno es extrovertido, alegre. Se la pasaba repitiendo toda la semana los chistes de los videos de risas de los Hétores. Casi no iba a cine porque en la zona de Banfield era muy reconocido y no lo dejaban tranquilo, entonces íbamos a los centros comerciales de las afueras. Allá le enseñamos a jugar bolos y le entró una fiebre de ir todos los días hasta que un día perdió y tiró la bola por la otra canal y nos regañaron».

Hay días memorables como el 10 de marzo siguiente en el empate 2-2 contra el Nacional de Uruguay en el estadio Centenario de Montevideo, al que invitó a Juan Carlos. El primer gol lo hizo de palomita y el segundo al cobrar un penal que le hicieron a él. Se los dedicó a Daniela y a su padrastro, que ese día lloró de la emoción de ver todos los esfuerzos hechos realidad, por «la satisfacción de entregarle a la sociedad no a un futbolista profesional, sino a un profesional del fútbol». Al tiempo empezó a sentir cierta nostalgia de que su ciclo junto al «Calidoso» empezaba a salírsele de las manos.

Mientras se concretaba su venta a Europa, James estuvo más hiperactivo que nunca. Julián: «Decía que no estaba al cien por ciento con el cabezazo y nos poníamos a jugar a los centros; Mateo le centraba, él remataba y yo tapaba, luego nos rotábamos. En un partido de Copa de un miércoles le metió un gol de cabeza al Morelia y se lo atribuyó a tantas horas que practicamos. También le dábamos al fútbol-tenis». Hinchas agradecidos del Banfield llegaban a diario a la casa a pedirle un autógrafo y una foto. «Uno de los peores recuerdos fue en el invierno que vino una niña con el papá a pedirle una foto y sin darse cuenta él se paró junto al calentador de gas y se quemó la pierna izquierda a la altura del tatuaje del Cristo. Al otro día tenía partido de la Libertadores y casi no puede jugar. Nos la pasamos poniéndole vendajes hasta que le sanó». Fue una buena Copa para él, anotó cuatro goles y llegaron hasta octavos de final, en los que los eliminó el Internacional de Porto Alegre, a la postre el campeón continental de ese año. «Mateo» opina que fue un duro golpe para él porque ganaron en Banfield 3-1, perdieron en Brasil 2-0 (clasificaron por haber hecho un gol de visitante) y, para rematar, el árbitro colombiano Wilmar Roldán lo expulsó al final del partido definitivo. «Estaba rabioso porque sentía que tenían equipo para llegar más lejos».

Superó la frustración un mes después. El 6 junio del 2010 firmó con Porto un contrato por 7,3 millones de euros. Juan Carlos fue testigo de la operación y por primera vez la familia fue consciente de que James necesitaba asesoría de alto nivel para hacer un esquema de inversiones con sus millonarios ingresos. Al ver la dimensión deportiva y profesional que había alcanzado su hijastro, Juan Carlos lo sentó, frente a frente como siempre, y le dijo: «"Calidoso", tu sueño fue mi sueño, tu ilusión fue mi ilusión. Ahora esta guerra la tienes que librar solito y hacer el doble de lo que has hecho». Hubo un largo abrazo, llanto y los mejores deseos. Como no hay dicha completa, las nuevas circunstancias llevaron a Pilar y a su esposo a revisar su proyecto de vida como pareja, el cual venía en crisis. Juan Carlos optó por regresar a Bogotá a trabajar con una empresa de seguros y Pilar se devolvió a Medellín con Juana Valentina, la hija de los dos. Una separación pacífica y de común acuerdo que los mantiene en comunicación permanente, pendientes de lo que necesiten James y la niña.

Julián Guillermo y «Mateo» acompañaron a James el día en que viajó a Portugal. También llegó a despedirlo Santiago Tréllez, que estaba jugando con Vélez. Los cuatro conservan una foto de la despedida en sus teléfonos. Julián le dijo: «Suerte, parcero. Usted es nuestro punto de referencia personal y profesional. El problema es que nos lo puso muy alto». Y «Mateo»: «"Mono", muchas gracias por todo, por apoyarme. En mí siempre va a tener un amigo para lo que necesite. Usted nos motiva a que se pueden lograr las cosas, es nuestro ejemplo a seguir. No se preocupe por nosotros. El tiempo de Dios es perfecto y las cosas se darán cuando se tengan que darse. Usted tiene demasiado talento y seguirá triunfando».

CAPÍTULO

13

EL ESPÍRITU DE UN DRAGÓN

Felipe Gómez rememora a su amigo James Rodríguez repasando las jugadas y los goles por los que eligieron al portugués Luis Figo como el mejor jugador del mundo cuando ellos tenían 11 años. Figo había sido campeón infantil y juvenil de Europa y debutó a los 17 años como profesional del Sporting de Lisboa. Antes de la era de Cristiano Ronaldo, era su preferido en Play Station porque le veían la elegancia del francés Zidane y la explosión del brasileño Ronaldo. Más les llamó la atención cuando fue noticia mundial su traspaso del Barcelona al Real Madrid e inauguró la era de «los galácticos» con el número 10 en la espalda. Fue al que imitaron primero haciendo la bicicleta y una especie de péndulo sobre el balón para distraer al oponente antes de engancharlo y desbordar por derecha.

Llevó a Portugal a un reconocimiento global tan atrayente que el mayor crítico portugués de este deporte, el escritor y nobel José Saramago, se autodefinió como «el Figo de la literatura». En una entrevista para *El Espectador* a comienzos del 2009 le pregunté por esa expresión y se molestó porque veníamos hablando de las víctimas de la guerra en Colombia. Dijo que muchos de los grandes problemas de la humanidad, en especial los de países como Colombia, pasaban a un segundo plano por esa «terrible pasión por el fútbol», por ese «negocio espectáculo» en el que la violencia se impone a la estética, en el que unos pobres muchachos se hacen multimillonarios de la noche a la mañana gracias a «una fabulosa operación de propaganda», por ese deporte que perdió la inocencia y pureza de cuando él era niño, pateaba balones ajenos y su papá lo hizo socio del Benfica.

El FC Porto es la «contra» natural del Benfica y lo ha sido más en los últimos años por cuenta del talento colombiano. Cuando James llegó al club en julio del 2010, «Pipe» le escribió para felicitarlo y recordarle que había llegado el momento soñado para ponerse a la altura de Figo y de Cristiano Ronaldo. James se declaró «pronto», «listo» en portugués. «Espectacular» fue su primer calificativo para el Centro de Entrenamiento y Formación Deportiva Porto Gaia, en la villa de Olival, frente a Oporto, atravesando el caudaloso Duero. Es uno de los más modernos complejos deportivos de Europa, inaugurado en el 2002. Tiene cuatro canchas de pasto natural y una sintética, resguardadas por una barrera de eucaliptos. A lo lejos se ve «el gris plateado de los olivares», vital para Saramago, y la región vitivinícola declarada por la Unesco Patrimonio de la Humanidad, al igual que el casco urbano de la ciudad que flota sobre el estuario de la desembocadura en el Atlántico del gran río que nace en España.

Como todos los comienzos, este tampoco resultó fácil. Coincidió con la llegada del técnico André Villas-Boas, venido del modesto Académica, de Coimbra, y ansioso por demostrar que era digno de un gran club. Sus asistentes, Victor Pereira y Pedro Emanuel, se encargaron primero del nuevo colombiano —ya estaban consolidados Radamel Falcao García, llegado del River Plate, y Fredy Guarín, del Saint-Étienne—, y a pesar de las recomendaciones ocurrió lo que siempre le pasa a James: su cara de menor de edad y su personalidad introvertida no le ayudan en el primer momento, así subiera el tono de voz para decir que ya tenía 18 años de edad. Le dieron la camiseta de rayas verticales azul y blanco, histórica en Europa desde 1893, no con el número 10 sino con el 19. La otra tendría que ganársela a pulso. El 19 no le molestó porque ya lo había usado en el Envigado y nadie pelea por él. Más bien lo adoptó como cábala y meta: a los 19 sería el 10 del equipo, al estilo Figo.

En el primer entrenamiento se dio cuenta de que el fútbol europeo es distinto al suramericano: más veloz, más físico, más posicional. Cuando salió del Banfield creía estar a punto para cualquier escenario, pero mientras se adaptó pasó el primer semestre sin ser titular ni jugar partidos oficiales completos, a pesar de que había hecho una aceptable pretemporada: hizo un gol contra el Torinzense, de la tercera división, y otro contra el Ajax holandés. Se desesperaba viendo jugar a sus compatriotas en el intimidante Estadio del Dragón, para 55 000 seguidores, el doble que el de Banfield. Aparte, otra vez debió vivir solo. Traer a su familia no estaba en los planes por ahora. Antes de emprender el más largo viaje de su carrera, su madre Pilar también lo había sentado y con el carácter que le reconoce le dijo que contara con ella para lo que fuera pero que su vida profesional, personal y económica quedaba en sus manos, encomendada a la educación que le habían dado. Hora de tomar sus propias decisiones, de construir un criterio, su propia forma de ver y entender el mundo lejos de sus raíces.

Oporto es una ciudad bella, llena de historia, pero en cierto modo decadente para alguien tan joven. Sus amigos Falcao y «Guaro» lo invitaban a salir, pero empezó a extrañar a Daniela y por eso las charlas vía Skype cada vez eran más largas y sentidas. La decisión de casarse que habían vislumbrado en Argentina como una locura parecía ahora sensata. Se necesitaban mutuamente, pero ella, la que siempre lleva la iniciativa en la relación, no terminaba de admitir que debía abandonar su carrera como voleibolista de alto rendimiento si quería ser la señora de Rodríguez y, sobre todo, convencer a su familia de que era una decisión apropiada. Había construido un prestigio desde las ligas menores de la Liga de Antioquia a través de equipos como la Corporación Deportiva de Itagüí y el Sabaneta, para luego ser incluida en la selección departamental. Con la Selección nacional, donde fue bautizada untándole betún en todo el cuerpo, jugó torneos suramericanos y panamericanos. A James lo enamoró su forma de ser, dulce y segura, y su belleza exaltada cuando la veía jugar elevándose para definir un punto, preparándose para recibir o bloquear, sincronizando movimientos con sus compañeras. Un trabajo en equipo más preciso y estético que el del fútbol.

En cambio James había pasado del susto de pensar en la responsabilidad de una familia propia a la claridad de que solo con ella a su lado haría planes de verdad; navegar por el Duero, caminar por los malecones, ver las derruidas fachadas de las casas antiguas, los vecinos hablando desde las ventanas, la ropa extendida, incluidas las camisetas del Porto, los toldos de la Ribeira; descender hacia el río desde la catedral La Sé por las Escadas das Verdades, detallar los azulejos sobre la historia de Portugal de la Estación de São Bento, contemplar Oporto desde Vila Nova de Gaia pasando sobre el segundo nivel del Puente de Luiz I; probar el original vino oporto, ojalá seco como recomendaba Antonio Tabucchi, nacido italiano aunque de vida y muerte portuguesa, autor de una inquietante novela negra que transcurre en esas calles: *La cabeza perdida de Damasceno Monteiro*. Ah, olvidaba que como en Banfield, y como lamentaba Saramago, el deporte trasciende más que la literatura, y por eso en Oporto hay calles que son homenajes al fútbol mientras que justo la semana que James llegaba, el Concejo local rechazaba por mayoría bautizar una sola con el nombre de José Saramago, fallecido el 18 de junio del 2010. Tal vez James supo de Saramago por esos días, cuando vio a Cristiano Ronaldo y sus compañeros portugueses salir a jugar contra Corea del Norte en el Mundial de Sudáfrica con un brazalete negro.

Melancolía le produjo en principio esta atmósfera de desapego e incertidumbre al jugador colombiano. Además, las noticias que intercambiaba con sus amigos tampoco eran buenas. «Pipe» y «El Tuto» seguían batallando en equipos de segunda a punto de abandonar la profesión. Y él pidiéndoles que aguantaran. Lo conmovió que César, quien también había ido a Argentina a probarse por recomendación suya con Sandri, había botado la toalla: «James estando en Porto me colaboró para probarme en el San Telmo, en la B argentina. No funcionó y fui a el Excursionistas, en la C. Vivía en un apartamento por Liniers, cerca del estadio del Vélez, junto con Luciano Ospina (otro amigo de Medellín al que no le fue bien en Argentina y volvió a Colombia a la B). Duré seis meses y al ver que no se solucionaba nada, pensé en los gastos de mi papá, me desesperé y pedí que me dieran el tiquete de regreso. Le dije a James que había aprendido que a veces las cosas no salen cuando uno quiere sino cuando es la voluntad de Dios».

Se desahogó con Julián, que vivía un presente agridulce: debutó contra el Olimpo en Bahía Blanca, pero el rendimiento del Banfield se fue al piso luego de la salida de los principales jugadores. «James andaba en crisis porque pasaban los meses y no lo ponían. Un día me dijo que estaba tan aburrido que iba a pedir que lo dejaran volver a Argentina. "Ni lo piense", le dije». Volvamos a Saramago: «La derrota tiene algo positivo, nunca es definitiva. En cambio la victoria tiene algo negativo, jamás es definitiva».

Navegando en Internet y en sus ocasionales paseos de compras James descubrió un personaje con el que se sintió identificado de inmediato: James Dean. El legendario actor estadounidense, el rebelde sin causa ícono de la adolescencia a la que no la satisface nada, recuperado como referente de la moda retro, encajó en su estilo de vida a través de camisetas. El estilo de niño bueno en películas como *Al este del Edén* le caía perfecto a él, incluso el peinado de copete. Además de su fútbol podía explotar su imagen y lo entendió con este punto de referencia y con la visión y aprobación de Daniela. Todavía es normal que aparezca de vez en cuando con el rostro de Dean y la pinta *cool*, su manera de ser elegante. Se podía dar lujos y ese se volvió uno simbólico. Luego se atrevería a comprar un BMW 750il color blanco. El modelo que prefería James Bond, una verdadera «amenaza blanca».

Daniela le dio el sí definitivo y por su visión empresarial se convirtió en su socia ideal. El pacto carnal y espiritual lo tienen tatuado en la piel: los nombres de cada cual en conexión con Dios. En el bíceps del brazo derecho de James está el nombre de su madre Pilar en letra pegada y debajo el de «Dani» y el de su hermana Juana. En el del brazo izquierdo una frase cristiana de tres renglones que recuerda que Dios le da a cada cual lo que se merece, acompañada del dibujo de un crucifijo y un rosario.

Los preparativos del matrimonio les calmaron a los dos hasta cierto punto los nervios y las emociones de un drástico cambio de vida. En lo deportivo, a James empezaron a incluirlo como suplente y, nueve días antes de casarse por lo civil, el 15 de diciembre del 2010, James anotó su primer gol oficial en el fútbol europeo en una victoria por 3-1 de Porto contra el CSKA de Bulgaria. La Navidad fue de celebración e integración de las dos familias. La luna de miel quedó en veremos porque la prioridad era alcanzar la titular en el Porto. La foto que más les gusta del día del compromiso para toda la vida es de ella vestida de blanco, con un traje ceñido que la hace ver como una sirena, besándolo, y él de traje oscuro abrazado a ella contra unas barandas.

Empezar una vida como pareja no fue sencillo. James se la pasaba entrenando y ella sola «tratando de hacerme el ambiente». Averiguó si podía jugar voleibol en Portugal y no había posibilidades. En España y Francia sí, pero estaban descartados. Mantuvo su disciplina de ejercicios y gimnasio, y optó por empezar a estudiar administración de empresas a distancia gracias a la ayuda del Politécnico Grancolombiano. Viéndola tan decidida, James estuvo dispuesto a estudiar ingeniería de sistemas por la misma vía. Sin embargo, el fútbol profesional consume las 24 horas del día. Entonces apareció la necesidad afectiva de una mascota: un labrador llamado *Manolo.*

Según sus allegados, la relación de Daniela y James es armónica porque él es callado y ella es la que habla y propone. Después de los partidos lo felicita o lo critica con dureza como aprendió de Pilar y Juan Carlos, y de tanto ver fútbol. Cuando el deporte pasa a un segundo plano las discusiones vienen porque él es demasiado casero y ella quiere mayor vida social. James llega agobiado de entrevistas, campañas publicitarias y cámaras, y quiere encerrarse. Ella quiere escapar de la rutina.

La oración es otro factor que los unió en Portugal sin que sean los más devotos de iglesias católicas o cristianas. James es juicioso lector del Evangelio. Reza antes de salir de la casa, en el vestuario antes de saltar a la cancha y al volver. «Soy cristiano. Creo mucho. Creo mucho en Dios. Me ayuda. Me acompaña». Se detiene siempre en el Libro de los Salmos. Cuando el éxito es tan grande y vertiginoso hay que tener los pies en la tierra y repite: «Teme a Dios y huye del mal. Que él sea quien dirija todos tus pasos». Las que también se convirtieron en sus oraciones son las frases que tanto le repetían sus padres y las publica en su Twitter para que los cuatro millones de seguidores que tiene se contagien de su energía y se la devuelvan: «Jamás te rindas ni retrocedas ante nada ni ante nadie». «No es grande aquel que nunca falla, sino el que nunca se da por vencido». «Si no sueñas, nunca encontrarás lo que hay más allá de tus sueños».

Con una frase del líder evangélico John C. Maxwell se motivan juntos en los días de bajo ánimo: «Cuando quieras emprender algo habrá mucha gente que te dirá que no lo hagas. Cuando vean que no te pueden detener, te dirán cómo lo tienes que hacer. Y cuando finalmente vean que lo has logrado... dirán que siempre creyeron en ti». Más que una pose es un estilo de vida del que, para bien, se contagiaron la mayoría de los jugadores de la selección Colombia.

Como James son igual o más cristianos Falcao y el defensa Éder Álvarez Balanta, referentes de una generación que llegó a los primeros niveles por su talento y disciplina, muy diferente del ambiente en que desarrolló su carrera la generación mundialista colombiana de los años 90. Cuando uno ve a estos muchachos y piensa en Asprilla o Higuita, queda en evidencia una nueva cultura que hace prever aún mejores resultados. El fútbol colombiano de los mundiales de Italia 90, Estados Unidos 94 y Francia 98 tenía una personalidad en la que talento y responsabilidad no parecían comulgar entre sí, lo contrario a la del equipo que llegó a estar entre los mejores ocho del Mundial de Brasil y en el cual la identidad se construye a partir de la imagen y la conducta de James Rodríguez.

Si hay una palabra que le gusta a este nuevo ídolo es coraje, por eso Daniela lo llama «mi guerrero», «un ser maravilloso con el cual he podido formar una hermosa familia». Ese amor propio y sus esfuerzos extras en el Departamento de Desarrollo de Capacidades Individuales permitieron que el 2011 fuera el año de su despegue en el Porto así, por las dudas y para asegurar la inversión que habían hecho en él, los directivos hubieran decidido vender el 35% de su pase por 2,55 millones de euros a la corporación Gol Football Luxembourg, una decisión que luego tendrían que revertir. ¿De qué más se agarró para mantenerse a flote? De la solidaridad de Falcao y Guarín, del sueño de jugar ese año el Mundial sub-20 que se jugaba en Colombia, en el que participó gracias a la gran actuación que tuvo en el torneo Estrellas de Toulón, en Francia, donde comandó el equipo hasta conseguir el título y ser elegido el mejor jugador. Luego, en el segundo Mundial que jugaba, alcanzó los cuartos de final, pero el equipo nacional fue eliminado por México.

Su repunte personal coincidió con el del equipo. El 3 de abril, con cinco fechas de anticipación, el Porto se coronó campeón de la Liga al vencer de visitante 2-1 al Benfica, con los tres colombianos en el campo y dejando un récord de 27 juegos ganados y tres empatados. También ganaron la Supercopa de Portugal, llegaron a la final de la Europa League y la ganaron al Sporting Braga el 18 de mayo, igualando el triplete de trofeos que había ganado José Mourinho, otro técnico portugués admirado por James. El 22 de mayo es imborrable porque en Lisboa obtuvieron la Copa de Portugal (6-2) con tres goles suyos al Vitoria Guimaraes el día que la hinchada se lamentaba porque el goleador Falcao no jugaba, y James cumplió ese papel. «Estoy feliz, pero estos triunfos hay que revalidarlos», dijo al ser elegido la figura. Empezó a volverse común ver la bandera de Colombia asociada a los títulos del Porto y el técnico Villas-Boas emitió su concepto definitivo sobre James: «Es lo que se llama una buena persona y un excelente profesional».

Les reportaba a sus amigos cada triunfo y que le habían dado la camisa 10. Por primera vez «Pipe» no tenía ánimos para celebrar. En el 2011 había vuelto a Envigado dos meses y medio. Se enfermó de tendinitis, luego se lesionó un aductor. Tomó la decisión de dejar el fútbol y ese fue un golpe muy duro para James, porque sus sueños eran conjuntos.

—«Pipe», ¿qué está haciendo estos días?

—«Mono», me retiro. El fútbol no fue lo mío. Otra cosa será.

—¿En serio? ¿Por qué? No se dé por vencido, marica.

—No, «Mono». Nada me sale. ¡Ya no más! ¡Me mamé!

—Bueno, «Pipe». Si esa es su decisión lo apoyo y cuente conmigo.

—Gracias, «Mono». Voy a dedicarme a estudiar y a trabajar.

«Había hecho hasta décimo y terminé validando —reconoce "Pipe"—. Así le tocó a James. No era porque él no quisiera, sino por las obligaciones que tenía. Pilar fue expresamente a la Secretaría de Educación de Envigado para que lo dejaran terminar el bachillerato por ciclos. Yo todavía lo jodo con que le regalaron el cartón y él me responde echándome en cara todos los trofeos que se ha ganado».

En esos días le concedieron el Trofeo Bravo de la revista italiano *Guerin Sportivo* al mejor jugador sub-21 de Europa y el trofeo más bello que tiene en su colección, el Dragón de Oro 2011 como jugador revelación, entre otras cosas, por marcar 17 goles en 28 partidos. A los 20 años de edad ya tenía una decena de campeonatos en su hoja de vida, privilegio de muy pocos. Una imagen de la noche de gala, su primera en Europa, muestra a James y Daniela orgullosos, ella de seda azul turquesa, él de paño italiano negro, posando junto al pedestal en el que se exhibía una de las dos copas de la Champions League que ha ganado el Porto. Ella sentenció: «Este es nuestro destino». Enseguida empezaron los rumores: Falcao para el Atlético de Madrid, Guarín para el Inter y James para el Manchester United. Ellos celebraban cada especulación porque los mantenían vigentes, pero en el fondo cruzaban los dedos para que el cambio fuera hacia España.

Julián cuenta que la primera vez que tuvo la corazonada definitiva de que su «parcero» terminaría en el Real Madrid fue el día en que James se cruzó con Cristiano Ronaldo en un restaurante. El colombiano se acercó a saludar al portugués y fue él quien lo saludó primero con un «¡Hola James, un gusto conocerte!». «No podía creer que me llamara por mi nombre.

Me dijo que seguía los partidos del Porto y que me felicitaba por lo que estaba haciendo». Ese gesto fue importante para su autoestima y les dijo a sus amigos que el siguiente paso era consolidarse en la Selección Colombia de mayores para alcanzar el nivel de su máximo ídolo, con quien quedó en contacto, algo que luego facilitaría su traspaso al equipo merengue. Antes de Brasil 2014 hablaron y se desearon suerte.

La revalorización del colombiano entre el 2011 y el 2012 fue tal que el Porto pagó casi cuatro veces lo que había recibido de parte de Gol Football Luxembourg por el 35% para recuperarlo, a un costo de 8,75 millones de euros. Nada, si se tiene en cuenta que luego lo vendería al Mónaco por 45 millones con una carta de presentación inmejorable: el 10 con mejor presente y futuro en Europa. En tres años y medio había jugado 107 partidos y anotado 32 goles. Lo demás corrió por cuenta de las movidas financieras que el Porto y el jugador le encomendaron al empresario Jorge Mendes, el mismo representante de Falcao y uno de los más influyentes de Europa.

Para ese momento la imagen de James había trascendido a ser soporte de marcas globales como Adidas y locales como el restaurante de mariscos y bar de tapas Ancora Violeta, en el acogedor 175 de la avenida Antunes Guimaraes de Oporto. Lo inauguraron a finales del 2012 y en las afueras se rumora que el futbolista es socio porque desde el comienzo fue el gancho de atracción a través de eventos promocionales con camisetas, guayos y fotos. Son tres pisos tan blancos como el Real Madrid en la zona de Leça da Palmeira. Los *fans* de James, que son muchísimos en Portugal y con clubes en Facebook, pasan frente al Ancora Violeta y husmean por las ventanas porque saben que cualquier día se aparece por allí. A sus amigos les contaba que el último semestre en la ciudad casi no podía salir o que cuando lo hacía se camuflaba con gorros, bufandas y gafas. «La gente no para de pedirme fotos y autógrafos. Es el precio de la fama», empezó a lamentarse. En todo caso, junto a Daniela aprendió allí lo que no sabía de enología y comida de mar.

La dimensión de lo que hizo en Portugal se puede advertir detrás de «As conquistas do Dragão», la frase que da la bienvenida al museo donde el Porto exhibe la dos «orejonas» entregadas como el mejor equipo del viejo continente, dos Europa Leagues, dos intercontinentales, una supercopa europea, 27 campeonatos de primera división, cuatro de Portugal, 16 *tazas* (copas) de Portugal y 20 *supertazas*. Allí hay un lugar especial para los colombianos que enaltecieron y siguen enalteciendo al club, ahora a través de Juan Fernando Quintero y Jackson Martínez. Los fanáticos siguen luciendo camisetas de James porque después del mundial lo recuperaron como símbolo permanente. Su fútbol trascendió. Logró lo que pretendía Saramago: «encender estrellas en la oscuridad irremediable de la ceguera».

CAPÍTULO

14

PAPÁ MILLONARIO Y SOLIDARIO

De las historias que surgen al reconstruir la vida de James las más conmovedoras tienen que ver con su generosidad. Con los grandes personajes hechos a pulso ocurre que todas las personas que los conocieron en sus comienzos los juzgan porque no los ven repartiendo regalos y dinero, como si tuviera obligaciones públicas. En barrios periféricos de Ibagué como El Arado, La Gaviota y la Comuna Seis hay niños que exhiben balones que les mandó James y familias que dicen haber recibido mercados donados por él durante la ola invernal de fines del 2010.

Es decir, cuando empezó a jugar en Europa no dejaba de pensar en las comunidades desfavorecidas de su ciudad adoptiva. ¿Por qué? Sus tías Elicenia y Patricia destacan que esa preocupación le empezó de manera espontánea cuando empezó a ganar bien en el fútbol de Argentina. «Llamaba y nos decía: "Quiero donar mercados, ayúdenme a averiguar dónde y cómo lo hago"». Y la familia, incluido el tío Andrés, se ponía en contacto con la Defensa Civil y la Cruz Roja e iban a entregar las ayudas en coordinación con almacenes de cadena como Éxito, Carulla y Surtimax. Su esposa Daniela y su madre Pilar todavía sacan tiempo para ponerse el frente de esas actividades; le sugieren donar camisetas y guayos a entidades como Teletón, y deciden en qué «días sociales» participan ellas directamente.

Sin embargo, pronto acordaron que la iniciativa debería ser permanente y no ocasional, razón por la cual empezaron con el programa «Cultura de Paz», para niños entre 7 y 14 años de edad, de estratos 1 al 3. El objetivo: ayudar a la formación integral de las familias a través de psicólogos, nutricionistas, médicos, profesores de inglés y, obvio, clases de fútbol. De ahí pasaron a constituir la Fundación Colombia Somos Todos que favorece a comunidades marginadas. Para los estatutos y objetivos sociales tomaron como referencia la llamada Ley Pelé en Brasil.

El proyecto se hizo realidad en diciembre del 2011, cuando volvió de vacaciones a Ibagué y fue recibido, ya no como el niño prodigio de siete años atrás, sino como estrella profesional del Porto. Participó del Día del Futbolista y 4000 seguidores fueron a saludarlo y a verlo jugar al estadio Murillo Toro, donde volvió a vestirse con el uniforme vino tinto y oro de su Tolima. El reencuentro con los profes y alumnos de la Academia Tolimense fue emotivo hasta las lágrimas, porque le llevaron antiguas fotos de él celebrando títulos, sobre las que estampó autógrafos y gracias.

«El Tuto» Noreña recuerda que llamó a los viejos amigos y se fueron a jugar a las nuevas canchas de fútbol 5 llamadas Top 10, una inversión de James en la vía a Calambeo que maneja su tía Patricia. Son modernas canchas sintéticas a las que curiosamente se llega por la misma portería del Comando de Policía departamental y cuya zona social está decorada con camisetas originales de la Selección Colombia, del Porto, del Mónaco y las llamadas joyas de la corona: una con el número 7, que le obsequió a James Cristiano Ronaldo «con cariño», la que David Luiz le regaló para calmar su llanto el día en que Brasil eliminó a Colombia en el Mundial y una de Touré Yaya. También hay *memorabilia* de sus compañeros de Selección, en especial una 9 de Falcao y los guantes autografiados de su cuñado David Ospina. En el lugar se descubre su deseo de compartir. Allí trabajó, por ejemplo, César cuando regresó de su fracaso en el fútbol de Argentina. «Yo estaba desesperado y le dije a James que me ayudara, que necesitaba apoyar a mi mamá, y me dio trabajo allá durante cinco meses hasta que salió la oportunidad de regresar al fútbol con el Expreso Rojo de la B».

En esas canchas James lanzó su plan social y es la única vez que lo vieron micrófono en mano echando un discurso:

«Es un gusto para mí poder hacer este "pase", tal vez uno de los mejores que he hecho en mi vida». Su llamado fue a que así como nos une la emoción del fútbol, debería unirnos en torno al futuro de los niños. Andrés Rubio, el tío que dirige la Fundación, cuenta que la atención a la niñez ha sido creciente gracias al poder de convocatoria de su sobrino y a que hay cuatro modalidades de apoyo para que la empresa privada o personas del común se vinculen: Amigos de la Fundación, Club 50, Apadrina un niño y Colombia Somos Todos.

Ese capítulo de su vida se intensificó en el 2013 luego de que el 29 de mayo naciera su hija Salomé, el otro nombre que James y Daniela también llevan tatuado en su brazo derecho. Lo anunció vía Twitter: «Hoy en Medellín acaba de nacer mi hija Salomé, ¡todo salió muy bien! Estoy muy feliz con esta bendición». Los dos quisieron que naciera en Colombia y no en Europa, y ahora se convirtió en el símbolo que los acompaña y representa en las campañas en pro de la niñez.

Manifestaciones parecidas se oyen en Envigado en cabeza de su amigo «Pipe»: «Cuando dejé de jugar le dije: "Mono, quiero trabajar, ayúdeme. Y efectivamente como a los 15 días me llamaron a trabajar de Adidas. Como todavía no he terminado una carrera comencé de vendedor normal y me están formando. Me toca hacer de todo; logística, cargar cajas, almacenamiento. Haré lo que sea necesario para salir adelante y no defraudar esa confianza en mí». Como en Ibagué, también hay quienes alegan que se olvidó de todos, que si no ha pasado a saludar mucho menos a ayudar a alguien.

Su amigo Julián cree que quienes hablan mal de él sufren de envidia. Él, que no necesita ayuda económica, ha recibido un respaldo incondicional de James. En su peor momento deportivo, que fue el descenso del Banfield a la segunda división en el 2012, estuvo ahí para consolarlo. Mientras a James le tocó hacer historia llevando al equipo al único campeonato que ha logrado, a él le tocó verlo caer en medio de la impotencia. «La peor sensación que pueda vivir un jugador profesional». En un año se fueron todos los jugadores clave y no había nada qué hacer. «Apenas nos vimos de vacaciones en Medellín, porque había comprado un apartamento en la misma torre donde yo vivía. Me dijo: "Cagada, Juli, tranquilo, no desfallezca que usted tiene madera". Me acuerdo que venía de ser campeón con Porto, se quitó la camiseta y me la dio para que me animara. Yo me quité la del Medellín, se la di y se la puso de una. Ese es James».

Un inconveniente es que el espíritu solidario termina por encontrarse con el oportunismo político y a la familia de James le ha tocado espantar lagartos y manipuladores que quieren figurar aprovechándose de la imagen de uno de los futbolistas más reconocidos del mundo. En la antesala del Mundial de Brasil, en plena campaña presidencial en Colombia, se vio obligado a mandar una alerta vía Twitter en marzo porque unos lo asociaban con la campaña del presidente Juan Manuel Santos y otros con la del expresidente Álvaro Uribe: «Atención! Quiero informar a todos que no apoyo a ningún candidato o partido político. De existir publicidad ha sido sin mi consentimiento». Y ratificarla en junio: «Nuestra mente está en el Mundial. No tomo partido en la contienda política». Quienes mejor lo conocen, piensan que en verdad es un apolítico con un estilo de vida conservador.

Si se pudieran sentar juntos los miembros de la familia, incluidos muchos primos, para preguntarles qué han recibido de James, la lista afectiva y material sería larguísima. Basta con resaltar que a su tío Andrés, su compinche del fútbol de toda la vida, lo ha invitado a Europa. Siempre que viene a Colombia llama a los familiares y los invita a fiestas o paseos. Si juega con la Selección hay boletas y tiquetes para ellos. A su padrastro siempre lo llama para confirmar si le entregaron las boletas y los tiquetes, si el hotel está bien. Y así él no le pida un peso, James le preguntó un día qué gusto soñaba con darse y le dijo que estaba ahorrando para comprar una motocicleta Harley Davidson. Al otro día se la había comprado. Juan Carlos no se queda atrás y como sabe que al «Calidoso» le gustan las lociones, le dio una de Christian Dior. Para el cumpleaños del 2013 le regaló otro de los libros de superación que le encantan y que James terminó subrayando para mantenerse motivado: *La vida como superación personal.*

CAPÍTULO

15

EL 10 DE LA SELECCIÓN, EL MEJOR DEL MUNDIAL

El 30 de septiembre del 2011 James Rodríguez se enloqueció: no paraba de gritar, saltar y celebrar. Seis meses había sufrido esperando a que lo incluyeran en la lista de convocados a la Selección Colombia de mayores para disputar las eliminatorias a Brasil 2014. Mientras el técnico fue Hernán Darío «El Bolillo» Gómez, por distintas vías le habían contado que figuraba en los planes sin que se concretara el llamado. Eso lo mantenía triste, según su amigo Julián. «Yo le decía que estuviera tranquilo y tuviera fe que él ya se había ganado ese derecho».

Solo cuando salió «El Bolillo» y Leonel Álvarez asumió la dirección, se produjo la renovación de la nómina y el técnico llamó personalmente a James y a su amigo Dorlan Pabón. «Parcero, le llegó el turno. Lo necesito en el equipo». Julián dice que nunca vio tan feliz a James. «Parecía un niño». Le contaba a todo el mundo y lo felicitaron desde todas partes. Giovanni Moreno desde el Racing de Argentina; Fredy Guarín, su socio del Porto, Falcao ya en el Atlético de Madrid, y su cuñado David Ospina desde el Nantes. «Ahora sí a demostrar lo que sabés». «!Va pa' esa!».

Un mes después, el 11 octubre del 2011, fue su estreno en La Paz ante Bolivia, en el peor estadio en el que un jugador profesional quisiera debutar con su Selección nacional por la altura de 3600 metros sobre el nivel del mar del Siles Zuazo. Todos llegaron prevenidos, mientras que él jugó como si estuviera al nivel del mar. «James me dejó boquiabierto —fue la reacción de "Mateo"—. Lo veía subir y bajar como si nada».

Empezó bien pero no estuvo exento de crisis. Los malos resultados como local frente a Venezuela y Argentina en la tercera y cuarta jornadas de las eliminatorias llevaron a la rápida salida de Leonel Álvarez. Fueron semanas de tensión e incertidumbre. Todos sabían, y James en especial, que si la Selección no funcionaba, las carreras y las expectativas del grupo quedarían estancadas. Hubo miedo de los cambios que pudiera realizar el argentino José Pékerman, pero James estaba más que recomendado por su capítulo en el Banfield y lo que llevaba en el Porto. El alma le volvió al cuerpo cuando sintió la buena energía de «José», como le pidió que lo llamara luego de que el respetuoso James le dijera un día «don José».

Con la confianza del jefe, su presencia en el campo se hizo necesaria y a la creación empezó a sumarle goles. El primero fue el que le sirvió a la tricolor para ganarle a Perú, en Lima el 3 de junio de 2012, tras una jugada colectiva con «Guaro» y Pabón. El otro gol que repite en video cada vez que puede es el de tiro libre en el Estadio Nacional de Santiago contra Chile, el 11 de septiembre, no solo porque lo define como cobrador sino porque cuando acomodaba el balón con las manos se acordó de su padrastro Juan Carlos en los partidos de El Jordán y Envigado gritando desbocado desde la tribuna: «¡Distancia, distancia!». Tantas veces vivió ese momento que sintió una seguridad especial a la hora de ponerla en el ángulo. Lo demás lo sabemos: se convirtió en el 10 del equipo, en el reemplazo esperado del «Pibe» Valderrama, y maduró a ese nivel hasta ser pieza clave de la clasificación a Brasil.

De lo que hizo en el Mundial todos los colombianos fuimos testigos. Quienes tuvimos el privilegio de verlo jugar allí, en vivo, confirmamos de primera mano lo que ya sabíamos, que es un fuera de serie. Nunca se asustó y, por el contrario, el apoyo de 30, 40 o 50 000 colombianos en las tribunas le dieron la fuerza necesaria para marcar la diferencia. Fue asistir a su graduación. Todo lo que sucedió en su vida en los anteriores 18 años desembocó en los estadios brasileños en los que jugó ese mes.

En el partido contra Grecia vimos los primeros chispazos de lo que sería Brasil 2014 para los colombianos: un James con actitud de veterano sin cumplir los 23 años y en su primera cita orbital, pidiéndola como siempre, sin perder la elegancia, poniendo a jugar a los delanteros y transmitiendo la tranquilidad que sus compañeros necesitaban. En la antesala del segundo juego contra Costa de Marfil, en el Mané Garrincha de Brasilia, salió a calentar y se detuvo un momento para advertir que la ola amarilla había copado el estadio y la atmósfera era parecida a la del Metropolitano de Barranquilla en la eliminatoria.

Mientras buena parte de los asistentes llorábamos, no cantando sino gritando el himno nacional, a James se le veía sereno. Al repasar ese partido, sus amigos empiezan a resumir todas las cualidades del James regulador de juego, del generador y, lo más sorprendente según «Mateo» Uribe, «demostró que el primer defensa es el delantero, porque el gol de Quinterito nace en un balón que roba James en la mitad del campo. Nunca lo había visto correteando tanto, atacando y volviendo a una posición defensiva. Eso lo aprendió en Argentina y Europa».

Coinciden en que James no parece tener techo. Hoy puede tener una actuación integral y en el partido siguiente sube el listón. Así fue contra Japón en el calor desesperante de Cuiabá. Yo —el narrador de este libro— viajé junto con mi sobrino 2500 kilómetros por tierra de ida y de vuelta desde Brasilia para verlo jugar. Se lo pudimos contar al salir al calentamiento gracias a que nuestros asientos estaban en la boca del túnel por el que saltaron a la Arena Pantanal, junto al banco de Colombia y al técnico José Pékerman. Él se sonrió y nos levantó los pulgares. Luego jugó como nunca. Fue el partido en el que más me impresionó su despliegue físico en ataque y defensa, teniendo en cuenta la humedad.

Apenas terminó la exhibición y la Selección Colombia salió aplaudida hasta por los samuráis azules de Japón, y James y sus compañeros aplaudieron a los seguidores que fuimos hasta la cancha más lejana del Mundial, desde Colombia Julián le puso un mensaje en el que lo felicitaba, le recordó que el gol que hizo para el 4-1, desbordando la defensa por la izquierda y poniéndosela por encima al guardameta cuando salió, resultó muy parecido al que le hizo a Lanús en Argentina y le anexó el video. Pronto le respondió, mientras se daba uno de los baños de hielo a los que se acostumbró la Selección para la recuperación muscular: «Sí, Juli, gracias. Se la piqué igualita al arquero. Pa' que vea y sea serio».

¿De dónde le salen esas decisiones de fracciones de segundo? De la fusión de cerebro y talento que solo se alcanza con años y años de repeticiones para reaccionar de manera correcta en el instante más importante de la vida profesional. J. M. Coetzee escribió en una carta al también novelista Paul Auster que la máxima expresión de la estética en el deporte se compone de situaciones «que no pueden ser objeto de planificación racional, sino que parecen descender sobre los jugadores mortales como una especie de bendición de lo alto, esos momentos en que todo sale bien, en que todo está en su lugar, en que los espectadores ni siquiera quieren aplaudir, solo dar gracias en silencio por haber estado ahí en calidad de testigos». Eso mismo sentí. Creo que ahí se configura el heroísmo y la nobleza del atleta. Distinto es exagerar elevándolo desde la admiración al nivel de la divinidad.

A esa altura del Mundial sabía que el Real Madrid y el Barcelona estaban interesados en contratarlo y lejos de asustarlo la situación lo estimuló para convertirse en el goleador y, según muchos expertos y quienes tuvimos el privilegio de verlo en acción allí, el mejor jugador de Brasil 2014 fue él, junto al holandés Arjen Robben y a alemanes como Toni Kroos, no Messi, como lo impuso la maquinaria comercial de la FIFA. A todos los comentaristas, a Maradona en su programa de Telesur, a Passarella en sus análisis para el canal brasileño Sportv junto a Lothar Matthäus y a los excampeones del mundo de Brasil 70, los oí diciendo que «James es la revelación, es el mejor». El «Pibe» Valderrama dijo en ESPN: «A Colombia ya no le hace falta un "Pibe". James es mi sucesor». El comentarista argentino de ese canal, Quique Wolff, lo complementó: «Ir del "Pibe" Valderrama a James Rodríguez es el camino a seguir en Colombia. James es un inmenso jugador». Esas percepciones se multiplicaron en cada rueda de prensa. Después de que su equipo fuera eliminado en octavos de final por dos golazos de James, el primero de ellos elegido por la afición como el más bonito del Mundial, el técnico uruguayo

Óscar Washington Tabárez no tuvo más que decir: «James Rodríguez es el mejor jugador del Mundial. Es un talento del fútbol. Creo que no estoy exagerando». El recordado delantero colombiano Faustino Asprilla redondeó la magnitud del 10 colombiano y de su futuro: «Tiene mucho fútbol para mostrar. Puede ser el mejor futbolista colombiano de la historia». Palabras mayores que comparto.

Buena parte del crédito se debe a la continuidad y liderazgo que le refrendó el técnico argentino José Pékerman: «Jamás tuve dudas de que este iba a ser el Mundial de James Rodríguez. Aposté muchísimo porque le veía condiciones superlativas». La sinceridad de su declaración se confirmó con el abrazo de Pékerman y Rodríguez en el túnel de otra catedral del fútbol, el estadio Maracaná de Río de Janeiro, el día de la victoria sobre Uruguay. Fue otro de esos momentos que nos estremecieron y me recordó el abrazo similar que vi cuatro años y medio antes en el camerino de visitantes de La Bombonera el día en que el Banfield se coronó campeón de Argentina: Falcioni y su niño de 18 años se abrazaron tan fuerte y liberaron tal energía contenida que hasta los testigos del gesto nos quedamos sin aliento. Sin duda, esta sumatoria de imágenes configura un viaje a la condición humana desde el espectáculo global de mayor audiencia.

Otra lección fue ver la capacidad de sacrificio de James en el partido de cuartos de final contra Brasil y las lágrimas de rabia tras ser eliminado a pesar del esfuerzo. Una jornada de revitalización del concepto de dignidad deportiva, de honradez de un profesional. Una vez calmó el llanto, que fue el de los colombianos y el de muchísimos aficionados de todo el mundo que uno se encontraba en las tribunas y querían que Colombia llegara a la final, James escribió en su Twitter: «Qué lindo es el fútbol. A veces es injusto pero de todas las formas se aprende».

¿Que solo se trata de una actividad recreativa cuestionable de once tipos corriendo detrás de un balón para darle patadas, como me dijo alguna vez el gran escritor Fernando Vallejo? Tiene uno que ser insensible para no admitir que asistir a un Mundial de Fútbol es una de las experiencias emocionales más extremas que se pueden vivir en el mundo contemporáneo, y en el caso de Brasil, inconmensurable, porque resultó un evento histórico para Colombia y el momento de la llegada a la cima del deporte de un muchacho humilde al que hasta ahora no le hace daño la gloria.

Pasado el Mundial me pregunté cuántos jugadores hubieran soportado esa doble presión: por un lado echarse a la espalda su Selección nacional, con un poder sobrehumano al estilo de Maradona en México 86, y al tiempo saber que de su actuación dependerá su futuro en alguno de los dos mejores equipos del planeta fútbol. No muchos. ¿Si Messi no fue capaz y desperdició la posibilidad de hacer historia en el tercer Mundial que juega, habiendo llegado a la final? Además, buena parte de la familia de James estaba en la tribuna en cabeza de su mamá Pilar, en la máxima dicha siempre soñada, y de su hermanita Juana Valentina, ya de 16 años de edad, que entendió a plenitud por qué incluso ella desde pequeña y su amado patinaje habían tenido que plegarse a los planes de su hermano. Al final de cada partido vimos correr a James a abrazarlas, a llorar juntos por la realización de todos los deseos más íntimos.

Periodistas españoles señalaron que esa situación de James es comparable a la de Luis Figo en el 2000, cuando fue protagonista de la mayor transacción del deporte producto de un pulso precisamente entre el Barcelona y el Madrid. Cuando le advirtieron esto a James, soltó una sonrisa al recordar la promesa hecha en su casa en Ibagué y en Portugal de llegar a ser tan grande como su admirado portugués, que en el Real vistió la número 10, y otro de los grandes que opinó que James había sido la estrella rutilante, de la que los aficionados del mundo se enamoraron. No por casualidad la camiseta 10 de Colombia empezó a ser usada por hinchas de cualquier país y luego se convirtió en un fenómeno comercial entre los madridistas.

Esta vez no se trató de manifestaciones de nacionalismo colombiano, del parroquialismo que tantas veces nos engaña. No. El carisma de James se globalizó y empezaron a manifestarlo a través de las redes sociales estrellas de otros deportes como el considerado mejor jugador de baloncesto del mundo, LeBron James: «Hombre, viendo el partido de Colombia, ¡creo que tengo a mi jugador favorito en la Copa Mundo! Obviamente su nombre ayudó a eso», publicó la entonces estrella del Miami Heat. Se le sumó la estrella del pop Rihanna: «Rodríguez es solo un bebe». En enero del 2013, el colombiano se había declarado seguidor del equipo de su tocayo James y posó con la camiseta y el número 6. Junto a su amigo Falcao, uno de los lujos que se han dado es viajar a Miami para ver jugar a los Heats.

Respondió mensajes de agradecimiento al basquetbolista y al propio Cristiano Ronaldo, que ya lo estaba esperando en el Madrid y a quien le había presentado en la capital española a su esposa y a su hija Salomé el 28 de abril del 2014. Y encontró tiempo para atender a sus más cercanos. A César: «El Botín de oro del Mundial es la demostración de que todo se puede lograr. Así es que dele y no baje la guardia, amigo». Una vez en Medellín, y sin que el Mundial hubiera terminado, llamó a todos los compinches para ir a jugar fútbol 5 en las canchas sintéticas de El Templo. Cuando no es ahí, se encuentran en El Señor Gol. Llegaron «Pipe», «Mateo», Luciano y «El Buti». Julián llamó a disculparse. La gente de la cancha se enloqueció. No podían creer que el James que acababan de ver en Brasil estaba ahí, de camiseta y pantalones cortos listo a jugar el *picaíto* de barrio, guardándose el secreto de que el siguiente paso era el Real Madrid. Hubo un momento en que no paraban las fotos y los autógrafos y «Mateo» empezó a gritar: «Bueno, bueno. Yo también soy futbolista profesional ¿Quién se quiere tomar una foto conmigo?».

Luego los invitó a la fiesta de su cumpleaños el 12 de julio, el día del partido Brasil-Holanda por el tercer y cuarto lugar del Mundial. Fue en las afueras de Medellín, con orquesta incluida. Allá llegaron también David Ospina, Santiago Tréllez, Farid Mondragón, Camilo Zúñiga. «Mateo» cuenta que James estaba tan realizado que bailó salsa hasta el agotamiento. «Como se pone cansón, pedía y pedía *La noche más linda,* de Adalberto Santiago. Repetía: "Y esa fue la noche más linda del mundo, aunque nos durara tan solo un segundo. Más no me arrepiento porque aquel momento lo llevo grabado en mi pensamiento". Nos la pasamos brindando y elogiándolo. Nos demostró que sus meses en la Selección le sirvieron para aprender con Pablito Armero y Juan Guillermo Cuadrado a ritmo del *Ras-Tas-Tas.* Habíamos apostado que "Pipe" se tusaba si James quedaba goleador y lo elegían como mejor gol del Mundial, y como ganó las dos le tocó raparse».

En Ibagué no dejó la misma impresión. Llegó la tercera semana de julio en una avioneta privada al aeropuerto Perales en plan absolutamente familiar, razón por la cual no se detuvo a dar autógrafos ni fotos. Iba con su mamá, su hija Salomé y su hermanita. Se subieron a una camioneta blindada, protegidos por escoltas, y se fueron hacia la finca de la abuela donde se reunieron con tíos y primos. Ya no era la estrellita del Pony Fútbol. Es uno de los deportistas más famosos del mundo que trata de defender, en lo posible, la privacidad familiar. Igual que llegó igual se fue. La semana siguiente se fue de vacaciones a Punta Cana, en República Dominicana, y regresó a Bogotá para el lanzamiento de la bebida energizante 10 Gold. Se reencontró con su padrastro, quien una vez más le recomendó que le diera espacio al cultivo del espíritu, a los valores cristianos, para que el mundo de la fama no lo desconcentre del último objetivo que es ganar el Balón de oro al mejor jugador del mundo. Los dos saben que es el último escalón del proyecto de vida que se trazaron. Luego viajó a España.

CAPÍTULO

16

DE UN FRÍO PRINCIPADO AL CALOR MADRIDISTA

El 29 de junio del 2013 James madrugó a llamar a su padrastro: «Juanca, como usted ha sido una parte importante de mi vida, quiero contarle antes de que se entere por la prensa que acabo de firmar con el Mónaco». Si hay un lugar ajeno a la esencia cultural y familiar del muchacho crecido en la tierra firme de Ibagué es el Principado de Mónaco. Terminó jugando allí, no porque lo hubiera deseado sino por las caprichosas leyes de mercado que mueven el fútbol. El magnate ruso Dmitry Rybolovlev fue el artífice del regreso del club a la primera división francesa luego de dos temporadas en segunda y, compitiendo con el multimillonario ruso dueño del Chelsea inglés, Román Abramóvich, e influido por el empresario portugués Jorge Mendes, decidió llevarse a los mejores jugadores disponibles en Europa, y eso incluía a Falcao y a Moutinho, del Porto, otro amigo de James.

Pagó 45 millones de euros por James, se lo presentó al técnico Claudio Ranieri como el mediocampista con mayor proyección y, como en todos los ciclos, al italiano le pareció que estaba muy joven y que le faltaba mejorar en lo defensivo. Al pasar las semanas y los dos primeros meses, los periodistas le preguntaban en todas las ruedas de prensa por qué no ponía a un jugador de calidad probada y explicaba: «Es que piensa como un atacante, pero también debe defender. Al ver que no juega, lo entenderá». El que no entendía era él al caer en el mismo concepto que habían emitido los técnicos en Argentina y Portugal, y que luego debieron rendirse ante los atributos del colombiano.

James ya estaba curtido, no se deprimió y se dedicó a trabajar a la espera de jugar y demostrar. El bonito estadio Luis II, levantado en tierra ganada al mar Mediterráneo, le transmitió buena energía por amarillo y por su arquitectura en forma de arcos. Lo había detallado en el 2012, el día en que Falcao ganó allí la supercopa de Europa, anotándole 3 goles al Chelsea. Entonces estaba lleno, pero para los partidos de la liga francesa es normal que solo asistan 3000 o 5000 personas, lo cual le resultaba deprimente al compararlo con la intensidad de la hinchada del Banfield, que es la que más recuerda. «En los estadios argentinos se siente cerca el calor, la pasión de la gente cantando y saltando todo el partido. En Europa son fríos, lejanos».

Aprendió lo que le decía su esposa Daniela: «Hay que hacerse el ambiente». Por eso Pilar, su madre, se fue a vivir con ellos un tiempo, para que no se sintieran tan extraños en aquel altísimo apartamento con vista a la Costa Azul. Tal vez demasiado perfecto. La ciudad de Montecarlo, de 31 000 habitantes, se conoce rápido y no queda mucho por descubrir a pesar de ser uno de los lugares de mayor ostentación capitalista del mundo. Pasear por los jardines Boulingrins, entre el Casino y el mar, disfrutar todo el tiempo de la vista del puerto, del peñón de la roca emblemática del viejo Mónaco, el Fuerte Antoine, los rascacielos de la zona norte, dar un paseo en yate, conocer el emblemático circuito de Fórmula 1 ganado por el colombiano Juan Pablo Montoya, recorrer la parte francesa de Beausoleil, donde está la escultura *Adán y Eva* del escultor colombiano Fernando Botero, encontrarse con alguna estrella de la farándula internacional, ver pasar a alguien de la familia real, los Grimaldi, incluida la colombiana Tatiana Santo Domingo, esposa de Andrea Casiraghi, hijo de la princesa Carolina.

Quienes conocen y pueden disfrutar de esa vida de paraíso fiscal no la reniegan, pero sí la califican de absolutamente predecible y acartonada. Las emociones de Mónaco están en los centros de diversión y en los casinos, los lugares a los que menos fueron James y Daniela, y Falcao y su esposa Lorelei Taron. Les parecía preferible escaparse a París.

Así pasó un año y a James le bastaron seis meses de su fútbol para callar a Ranieri y ser nominado a mejor jugador y jugador revelación de la Ligue 1. Le contabilizaron diez goles y 14 asistencias de gol en los 38 partidos que jugó. Apenas empezaron los rumores de interés del Real Madrid, un periodista del diario *El Mundo* de España se fue a ver cómo vivía allí el colombiano y escribió: «La pareja lleva una vida tranquila pero no exenta de lujos. El matrimonio vive en un espectacular apartamento ubicado en el piso 15 de un histórico edificio, desde donde disfruta de unas inmejorables vistas del Principado. Los precios de alquiler en esa construcción rondan los 700 000 euros al año. Su casa ha sido decorada por un conocido diseñador español y la pareja suele llevar a su perro cada semana a un peluquero que cobra 180 euros por sesión. Ahora el jugador ya espera mejorar su contrato para cumplir otro de sus sueños: comprarse un Ferrari». Otros lo montaron en Lamborghini. «Bobadas», según la familia. ¿Qué importa la marca cuando se puede comprar lo que uno quiera? Lo cierto es que James no disfrutó tanto de su entorno como en Oporto y mucho menos se volvió feligrés de Santa Devota. Eso sí, sus asesores se lo aconsejaron como lugar para invertir, incluso para fijar residencia ocasional, como hicieron los campeones de automovilismo desde Michael Schumacher hasta Lewis Hamilton. Deportivamente hablando, todos los allegados al fútbol coincidieron en que el Mónaco no era un equipo para quedarse; a esa impresión se sumó la terrible lesión por la que Falcao se perdió el Mundial y que fue el peor momento que vivieron allí las dos familias que se habían vuelto íntimas desde Portugal.

Después de Brasil 2014, cuando por fin se oficializó el traspaso de James al Real Madrid por la increíble cifra de 80 millones de euros, la reacción fue de júbilo. «Desde que supe que el Madrid me quería, hice todo para que fuera así». La etapa monegasca, que les pareció eterna, quedó atrás como una anécdota extraordinaria.

El 21 de julio, cuando ya había firmado el contrato de su vida, se dedicó a llamar a personas clave en su carrera para contarles la buena nueva y darles las gracias. La ronda incluyó a su padrastro, a quien invitó con todos los gastos incluidos al primer clásico del Real contra el Barça. Juan Carlos le resumió su vida desde el primer campeonato que ganó hasta cómo salió triunfante de Brasil, todo para recordarle que en el Real Madrid no puede ser inferior al reto. «Sí, Juanca». Luego habló con dirigentes como el presidente del Porto, Jorge Nuno Pinto da Costa, a quien le dijo: «Ya estoy en el mejor club del mundo, pero el club que está en mi corazón es el del dragón».

Algo curioso: la primera campaña comercial en que lo utilizó el Real fue en el lanzamiento de su nueva serie de camisetas negras con el lema «O la llevas, o la temes», que tienen en el dorso un dragón blanco. Y si alguien se identifica con la fuerza del dragón es él. James volvió a cantar el «Hala Madrid, Hala Madrid», el coro del himno que le coreaba a su amigo «Pipe» en la niñez. Con esa alegría contenida, llegó el 22 a su presentación social junto al presidente del club más poderoso del mundo, Florentino Pérez, quien antes de mandarlo a la cancha a mostrar sus cualidades con el balón le dio el paseo por el museo del Santiago Bernabéu que el colombiano no se había dado como turista. Se detuvieron frente a la vitrina donde exhiben las diez orejonas como campeones de la Champions League. ¿Cuántas de estas ganaré?, debió preguntarse, teniendo en cuenta que firmó hasta el 2020. Junto a jugadores como Kroos, Bale y Varane, es la apuesta del equipo para el presente y el futuro.

El 1° de agosto del 2014 fue su primer entrenamiento en Valdebebas, la ciudad deportiva de los madridistas, una especie de parque temático donde hay todo lo imaginable para que a los jugadores del primer equipo no les falte nada, desde asistencia médica de todo nivel hasta recreación y biblioteca. «El mejor centro de concentración deportiva del mundo». No es difícil imaginarse a James compitiendo con sus colegas para ver quién es el mejor en tenis de mesa o intentando ganarle a Sergio Ramos, el vigente campeón en la máquina de futbolín. Para lo que es negado el colombiano es para el billar. Juan Carlos y Pilar no lo dejaron conocer esquinas, ni cafés ni vicios.

La biblioteca no es de adorno. Varios de los titulares del Real son buenos lectores, el más juicioso era Xavi Alonso, pero se fue para el Bayern Munich. Los demás también aprovechan ese espacio para practicar inglés o francés. Hay una sección de «incunables» donde están los libros de oro con el escudo en relieve que cuentan la historia del equipo desde 1902. Los grandes del club merengue tienen libro propio como el hispano-húngaro Ferenc Puskás, el mexicano Hugo Sánchez y el argentino Alfredo Di Stéfano. De los que juegan hoy en día, solo Iker Casillas tiene ese honor, y el próximo será Cristiano Ronaldo.

«Primer entrenamiento y mucha ilusión», reportó el primer día vía Twitter el nuevo 10 del Madrid. El equipo estaba en pretemporada en los Estados Unidos y fueron los franceses Benzema y Varane los encargados de darle la bienvenida. Se acabaron los desfiles y otra vez debía empezar de cero. Los entrenadores Giovanni Mauri y Santi Lozano lo recibieron con series de abdominales, flexiones y ejercicios de coordinación y potenciación muscular. James odia las cámaras y ahora siempre tiene detrás de él una del canal de televisión del equipo que no le pierde movimiento, eso sin contar a toda la prensa deportiva española que le pide entrevistas. Aunque tiene asesor de imagen y el club le regula las citas, en este momento su mayor dificultad es aprender a manejar lo que J. M. Coetzee llama «el ojo omnipresente de la televisión», sobreponerse al delirio de persecución mediática del siglo XXI.

Él mismo le contó a Julián que ese es otro nivel de concentración y de exigencia para el que se había preparado mentalmente. Le mandó por WhatsApp el secreto: la carátula de *El partido mental en 400 frases y 45 temas*. Es un libro en el que los psicólogos deportivos Marcelo Roffe y Claudia Rivas fijan pautas metodológicas para deportistas de alto rendimiento. En busca de esa fuerza extra, Julián le recomendó la biografía del tenista Rafael Nadal, hincha del Madrid, que ya ha confesado ser *fan* de James y se le ha visto en el estadio festejando sus jugadas.

Según él, es consciente de que pueden ser más los peligros y tentaciones que deberá afrontar fuera que dentro del campo de juego. Ser una de las estrellas del Real Madrid es transformarse en una valla publicitaria que no debe desaprovechar. La misma semana que empezó en el Real posó en ropa interior para el lanzamiento de la nueva línea de ropa J10. La prensa sensacionalista española y las revistas del corazón ya designaron fotógrafos para seguirlo por donde se mueva. Quieren saber qué hace las 24 horas del día. Un tren de vida que debe pagar por llegar al nivel de luminarias como Cristiano Ronaldo, con quien ya le inventaron que peleaba en los entrenamientos.

En la cancha están demostrando lo contrario. James haciendo lo que siempre ha hecho, pedir el balón en el medio campo y llevarlo a los pies de los definidores en cabeza de CR7 y de Benzema. Luego regresar como hombre de marca. Debutó oficialmente el 12 de agosto del 2014 en el país de Gales, en el estadio de la ciudad de Cardiff, y participó en una de las jugadas de gol que le dieron el título de la Supercopa de Europa al Madrid al vencer 2-0 al Sevilla. El primer trofeo con su nuevo equipo. Ese día hubo un detalle que pudo pasar desapercibido para millones de espectadores en todo el mundo, pero que James nunca olvidará como su bautizo con el equipo de sus sueños: apenas el árbitro pitó el comienzo del juego, Cristiano Ronaldo le hizo el primer pase a él, como diciéndole bienvenido. Cuando el portugués anotó el primer gol, llamó a todos a celebrar y el primero que llegó a abrazarlo fue James.

Una semana después hizo su primera presentación en el Santiago Bernabéu, en el partido de ida por la Supercopa de España contra el Atlético Madrid, y anotó el gol del empate 1-1. El campanazo sobre su verdadero potencial lo dio en el estadio Riazor, el 20 de septiembre, al jugar un partido perfecto en ataque y defensa y anotar uno de sus ya clásicos goles de media distancia en la histórica victoria 8-2 sobre el Deportivo La Coruña.

De lo que se conoce hasta ahora sorprende el rápido análisis que hizo del colombiano el técnico italiano *Carlo* Ancelotti, que lo confirmó como titular tanto en la Champions League como en la Liga española, y se declaró satisfecho por su resistencia, su velocidad y su capacidad de definición. Tiene la confianza del profe, los aplausos de la tribuna del Bernabéu y los titulares de la prensa. Todo a favor para ser el mejor entre los mejores antes de pensar en la próxima Copa América y en el Mundial de Rusia 2018.

Ahora James vive en otro mundo, el reservado al *jet-set* del deporte rey, el de los mejores estadios, el de los vuelos y las atenciones de primera clase. Cuando salga de la concentración del equipo se refugiará en la urbanización La Finca de Pozuelo de Alarcón, en el norte de Madrid, sitio donde extremas medidas de seguridad protegen los chalets y el descanso de vecinos como Cristiano Ronaldo.

Si alguien le pregunta por este mundo fantástico, él no le presta demasiada atención a lo material. Se siente orgulloso de lo que ha conseguido y responde con un tajante «solo quiero ser feliz con lo que Dios me dé y hacer historia en el mejor club que hay». Feliz también está su esposa Daniela, porque Madrid tiene mil posibilidades para ella. Primero terminará su carrera de Administración de Empresas para seguir atenta a las inversiones de su esposo y del futuro de la familia, y luego decidirá si recupera su vida deportiva, porque la organización deportiva del Real Madrid le ofreció regresar al voleibol en uno de sus equipos. Ella accedió feliz, pero irá con calma. Primero en el equipo de playa y luego que recupere su nivel pensará en mayores aspiraciones. Por ahora, mientras su esposo sale a primera hora para Valdebebas, ella deja a la niña en el jardín y se va para el Polideportivo de Entrevías donde ya fue recibida por las espigadas integrantes del VP Madrid. El reto es grande porque el equipo descendió de categoría y trabaja para recuperarla. Los dos están en el mejor momento de sus vidas.

CAPÍTULO

17

¿QUÉ PASÓ CON LOS AMIGOS DE JAMES? ¿QUÉ PASARÁ CON ÉL?

Felipe Gómez, «Pipe»: «Estoy estudiando en el Politécnico Jaime Isaza Cadavid de Medellín para ser deportólogo y dedicarme a la instrucción. James está contento con eso y con que trabaje juicioso. Yo le digo en broma que estoy volviendo a jugar, que de nuevo soy la sensación. Él responde: "Sí, pero usted no suelta ese hijueputa balón". Le digo: "Estoy listo para jugar en el Real". No hemos dejado de reírnos de nosotros mismos. Hasta hace dos o tres años me "daba cosa" cuando él me contaba todo lo que hacía o conseguía. Yo pensaba que también podía estar allá y me preguntaba qué hice mal. Ahora me alegro por él, porque sé lo que tuvo que hacer para llegar allá, se lo ganó con méritos. De pronto yo no fui tan constante como él, ni tan disciplinado; era más recochero, me gustaba ir a donde una niña a visitarla y todo eso influye, me trasnochaba una horita más. Hoy me da mucho orgullo ser su amigo. Lo quiero como a un hermano y sé que va a ser el mejor del mundo».

César Nuñez: «Por él, por su ejemplo, sigo en el fútbol. En mi casa en Lérida están las camisetas que me ha regalado. Después del Mundial me invitó a compartir con él y me regaló una pantaloneta, una chaqueta y una camisa de presentación de la Selección. No ha cambiado. Le escribo y me responde de una o apenas puede. Hace poco le escribí: "Ese sueño del que hablábamos de niños se le cumplió. ¡Felicidades! Usted se merece todo eso y le va a ir mejor porque tiene un talento muy grande". Me falta decirle que ojalá algún día me invite por allá. ¿Se imagina la emoción?».

«**El Tuto**» **Noreña:** «Le perdí el amor al fútbol por lo inestable, ya no me sentía pleno en ese ambiente. Terminé contaduría pública y le llevo la contabilidad a tres empresas. La última vez dijo que me tenía una camiseta. Si me la da bien, si no tampoco hay que rendirle pleitesía ni pedirle fotos. Puede ganar mucha plata y lo admiramos, pero sigue siendo un amigo para tratar de igual a igual. Nosotros, los de El Jordán, lo conocimos y compartimos con él cuando no era nadie».

Felipe Aristizábal: «Todavía no sé si regrese al fútbol. Depende de cómo me recupere de la rodilla. Mientras tanto trabajo en la empresa de mi familia. Hablamos la última vez cuando vino a inaugurar sus canchas, volvimos a jugar fútbol y Play Station; por un momento parecíamos iguales a cuando estábamos *pelaos*, pero hay que reconocer que cada vez es una figura más importante y cada vez será más difícil acercársele. Es que talentos hay muchos, pero la estrella la tuvo James mientras a otros no los apoyó nadie y perdieron el rumbo, se fueron por malos caminos. Ojalá vean en el éxito de James una posibilidad de superación».

Andrés Mateus Uribe: «Yo regresé a Colombia y me ha ido muy bien en el Envigado. Allá ninguno se olvida de James como referencia de dedicación, disciplina, talento. Todos anhelamos su suerte y a alguien que nos impulse. Es envidia de la buena. Quienes lo conocemos a fondo sabemos que es una persona especial, no un jugador del común; nació para ser una estrella y las cosas se le dan más fácil. Me pongo en sus zapatos y pienso que él todavía no sabe lo que está pasando. Yo digo que todavía no termina de asimilar el poder de lo que está logrando. En la forma de vivir el fútbol sigue siendo un niño, porque muchos podrían decir que ya tiene plata y que entonces se relaja, pero no. Si pierde, se aburre o llora; si gana, le cuenta a todo el mundo y es feliz todo el día. Estoy seguro de que no ha llegado al tope».

«Yul» Calderón: «En la Academia Tolimense seguimos formando niños con el mismo compromiso. No hemos recibido nada de James ni lo esperamos. Nos ha dado lo más importante que es decirle a los niños de la escuela y de toda Colombia que si uno es disciplinado, tiene los objetivos claros, continuidad y apoyo familiar, lo que uno quiera se puede lograr, que sí se puede, que es posible soñar y que esos sueños se hacen realidad. Para nosotros tiene más valor que nos haya trazado ese camino que cualquier ayuda económica, aunque ojalá algún día nos pudiera ayudar con un espacio para entrenar».

Julián Guillermo Rojas: «De Argentina me vine a jugar al Medellín a préstamo, jugué la final contra Millonarios en junio del 2013. Después estuve a préstamo en Santa Fe y no me fue bien por falta de continuidad. Volví al Medellín y me ha ido mejor. A James lo imagino en el próximo Mundial peleando contra cada cosa que consiguió en Brasil, hacer más de seis goles, llegar con Colombia al menos a la semifinal, no solo ser el goleador sino el mejor jugador en Rusia 2018. Su ambición deportiva es insaciable».

James David Rodríguez Rubio: Sabemos a qué se enfrenta como futbolista y cómo lo afronta en la cancha. No sabemos cómo enfrentará la tentación de ser presa de la vanidad del héroe, el primer paso hacia la decadencia, según el experto en vidas de campeones Gay Talese. Para eso la única vacuna es la sensatez que dicen que le sobra al colombiano a la hora de «interrogar al espejo» y preguntarse si es alguien, en el momento de sondear «una fama que no acabo de comprender», como reflexionó Borges antes de sentenciar: «Para los réprobos, Infierno; para los elegidos, Paraíso».

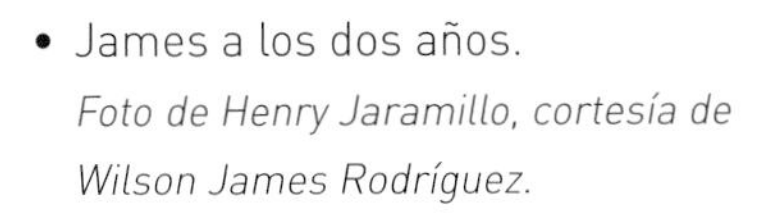

• James a los dos años.
Foto de Henry Jaramillo, cortesía de Wilson James Rodríguez.

• La primera vez que James pisó una cancha de fútbol con su papá en Cúcuta. *Foto de Henry Jaramillo, cortesía de Wilson James Rodríguez.*

LIGA DE FUTBOL DEL TOLIMA

ACADEMIA TOLIMENSE DE FUTBOL

FICHA DE AFILIACION

APELLIDOS : Rodriguez Rubio

NOMBRES : James David

FECHA NAC. : 12/07/91 CIUDAD: Cucuta

Nº DOCUMENTO : EXPED.:

DIRECCIÓN : M20 B. Casa 21 BARRIO: Arkaparaiso Tel.:

COLEGIO : Mo Montesori GRADO: 2 Tel.:

NOMBRE DE LOS PADRES: Maria del Pilar Rubio - Juan C. Restrepo

FECHA DE INGRESO A LA ACADEMIA : 20/09/98

RECOMENDADO POR : James Garcia

• Hoja de vida de James en la Academia Tolimense. *Cortesía de la Academia Tolimense de Fútbol*

- *Cortesía de la Academia Tolimense de Fútbol*

TOLIMA
LIDEFUTBOL
LIGA DE FÚTBOL DEL TOLIMA
CATEGORÍA PREINFANTIL
2001
Ficha No.
CLUB ACADEMIA TOLIMENSE
NOMBRES JAMES DAVID
APELLIDOS RODRIGUEZ
FECHA NACIMIENTO 12-07-91

TOLIMA
LIDEFUTBOL
LIGA DE FÚTBOL DEL TOLIMA
CATEGORÍA INFANTIL
2003
Ficha No.
CLUB ACADEMIA TOLIMENSE "A"
NOMBRES JAMES DAVID
APELLIDOS RODRIGUEZ RUBIO
FECHA NACIMIENTO 91-07-12

• *Cortesía de la Academia Tolimense de Fútbol*

- El primer equipo de James en la Academia Tolimense. *Cortesía de la Academia Tolimense de Fútbol*

- El día del peor partido de su vida. *Cortesía de la Academia Tolimense de Fútbol*

• En Barranquilla en el viaje cuando conoció el mar. *Cortesía de la Academia Tolimense de Fútbol*

• James con la 10 en la selección del departamento del Tolima. *Cortesía de la Academia Tolimense de Fútbol*

• En la copa Tutti-Frutti jugaba con niños mayores. *Cortesía de la Academia Tolimense de Fútbol*

• James en el estadio Romelio Martínez de Barranquilla. *Cortesía de la Academia Tolimense de Fútbol*

• La época de la famosa Copa Pony Fútbol en Medellín. *Cortesía de la Academia Tolimense de Fútbol*

• James encabeza la vuelta olímpica en Comfenalco Armenia. *Cortesía de la Academia Tolimense de Fútbol*

- El arco en el que hizo muchos goles en el Colegio Tolimense. *Cortesía de la Academia Tolimense de Fútbol*

- James con la 10 en la selección del Tolima. *Cortesía de la Academia Tolimense de Fútbol*

COLEGIO TOLIMENSE	IBAGUE	2002
031		

RODRIGUEZ RUBIO JAMES DAVID	SEXTO 1	F	UNICA

Area/Asignatura	I.H.	Fallas	Valoración Final
EDUCACION RELIGIOSA	2 H.	S.	ACEPTABLE
EDUCACION ETICA Y VALORES	1 H.	S.	SOBRESALIENTE
FILOSOFIA PARA NIÑOS	1 H.	S.	ACEPTABLE
CIENCIAS SOCIALES	6 H.	S.	ACEPTABLE
CIENCIAS NATURALES Y ED.AMBIENTAL	6 H.	S.	ACEPTABLE
MATEMATICAS	6 H.	S.	INSUFICIENTE
HUMANIDADES	6 H.	S.	ACEPTABLE
HUMANIDADES	4 H.	S.	INSUFICIENTE
EDUCACION ARTISTICA	1 H.	S.	SOBRESALIENTE
EDUCACION ARTISTICA	1 H.	S.	ACEPTABLE
TECNOLOGIA E INFORMATICA	2 H.	S.	SOBRESALIENTE
ED.FISICA RECREACION Y DEPORTE	2 H.	S.	EXCELENTE
PROYECTO PEDAGOGICO	2 H.	S.	EXCELENTE
COMPORTAMIENTO GENERAL			SOBRESALIENTE

PROMOVIDO POR DECRETO 0230.

• Registro académico del Colegio Tolimense. *Cortesía de la Academia Tolimense de Fútbol*

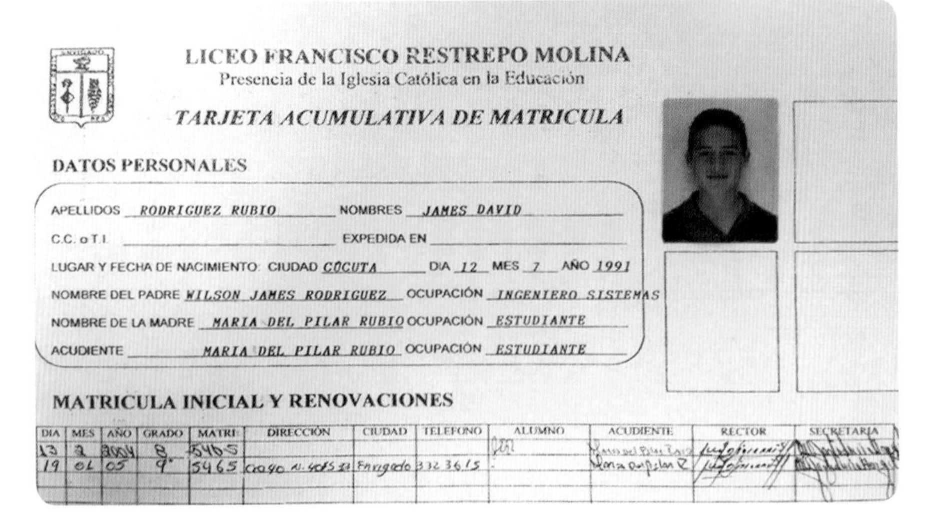

LICEO FRANCISCO RESTREPO MOLINA

Presencia de la Iglesia Católica en la Educación

TARJETA ACUMULATIVA DE MATRICULA

DATOS PERSONALES

APELLIDOS RODRIGUEZ RUBIO NOMBRES JAMES DAVID

C.C. o T.I. EXPEDIDA EN

LUGAR Y FECHA DE NACIMIENTO: CIUDAD CÚCUTA DIA 12 MES 7 AÑO 1991

NOMBRE DEL PADRE WILSON JAMES RODRIGUEZ OCUPACIÓN INGENIERO SISTEMAS

NOMBRE DE LA MADRE MARIA DEL PILAR RUBIO OCUPACIÓN ESTUDIANTE

ACUDIENTE MARIA DEL PILAR RUBIO OCUPACIÓN ESTUDIANTE

MATRICULA INICIAL Y RENOVACIONES

DIA	MES	AÑO	GRADO	MATRI	DIRECCIÓN	CIUDAD	TELEFONO	ALUMNO	ACUDIENTE	RECTOR	SECRETARIA
13	2	2004	8	5465				[illegible]	[illegible]	[illegible]	[illegible]
19	01	05	9°	5465	Cra 40 N. 40S 33	Envigado	332 36 15		[illegible]	[illegible]	[illegible]

• Registro del colegio en Envigado. *Cortesía de la Academia Tolimense de Fútbol*

- La Copa del Pony Fútbol. *Cortesía de la Academia Tolimense de Fútbol*

- La primera copa internacional que ganó en el binacional de Cúcuta. *Cortesía de la Academia Tolimense de Fútbol*

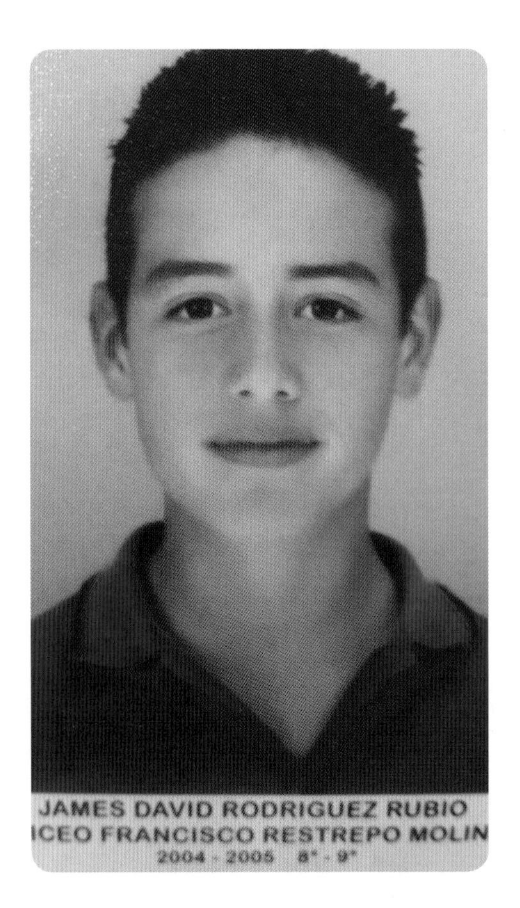

JAMES DAVID RODRIGUEZ RUBIO
ICEO FRANCISCO RESTREPO MOLIN
2004 - 2005 8° - 9°

- Foto del colegio Restrepo Molina. *Cortesía de la Academia Tolimense de Fútbol*

RVACIONES SUPERO LOGROS DE MATEMATICAS OBTENIENDO (A) S/ACTA 04/02/03.
SUPERO LOGROS DE INGLES OBTENIENDO (A) S/ACTA 04/02/03.
05 DIC. 2002
FECHA
SECRETARIO(A)

- Cursos de habilitación que hizo en el Colegio Tolimense (2003). *Cortesía de la Academia Tolimense de Fútbol*

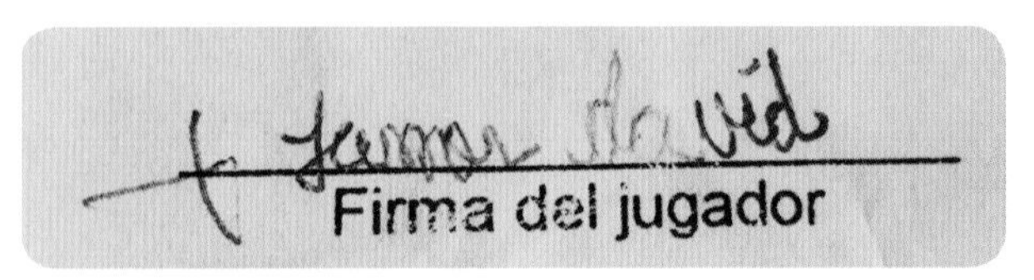

- El primer autógrafo de James. *Cortesía de la Academia Tolimense de Fútbol*

• Calendario del Pony Fútbol con James marcado por Mateo. *Cortesía de la Academia Tolimense de Fútbol*

• Mateo y James en Buenos Aires. *Cortesía de Andrés Matheus Uribe*

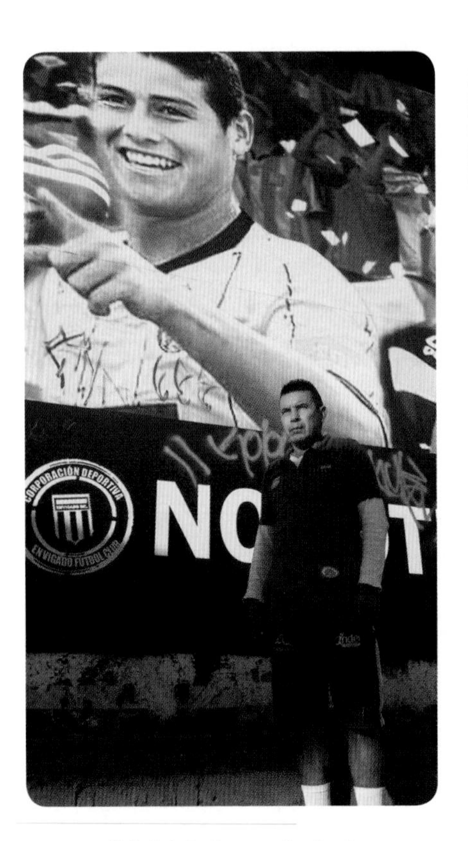

• Omar 'Misio' Suárez, principal formador de James. *Foto de Nelson Fredy Padilla*

• James Rodríguez frente al muro de su hijo en Envigado. *Foto de Nelson Fredy Padilla*

• Mateo, Juan Guillermo Cuadrado y James. *Cortesía de Andrés Matheus Uribe*

• Julián, Mateo, James y Santiago Tréllez en el aeropuerto de Buenos Aires el día de la despedida hacia Portugal. *Cortesía de Julián Guillermo Rojas*